НОВЫЕ ДР

New Frien

David Pearce
Fiona Wright
Svetlana Miloslavskaya

Coursebook
for GCSE
or Standard Grade
Russian

Collets
London and Wellingborough

Russky Yazyk Publishers
Moscow

ББК 81.2Р-96
    П33

First published in 1991 by
Collets holdings LTD
Denington Estate, Wellingborough, Northants
Great Britain

ISBN 0569 09179-9

A CIP catalogue record for this book is available from the British Library.

Printed in the USSR by Russky Yazyk Publishers, Moscow

П $\frac{4306020102\text{-}202}{015(01)\text{-}91}$ 24-91   © Издательство «Русский язык», 1991

ISBN 5-200-01341-0
(СССР)

Contents

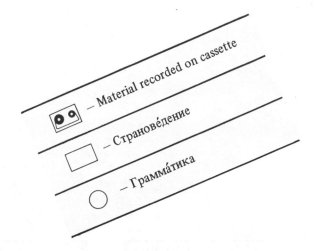

– Material recorded on cassette

– Страноведение

– Грамматика

Acknowledgments

„Новые друзья" ("New Friends") has been produced under the auspices of the British Council and the USSR Committee of State Education, and through collaboration between the Association of Teachers of Russian (Gt. Britain) and the A. S. Pushkin Russian Language Institute, Moscow.

We are grateful to the following organizations and colleagues for their invaluable help and support in the production of this book:

Colleagues at the Association of Teachers of Russian (Gt. Britain),

Colleagues at the A. S. Pushkin Russian Language Institute (Moscow),

The British Council,

The Nuffield Foundation,

The Staff of the firm "Melodia".

We would particularly like to thank the editors and Collets for their help and advice.

«Но́вые друзья́» is designed to help students prepare for GCSE examinations in Russian, each unit covering a topic from a typical GCSE syllabus. It is not a "course book" and does not attempt to teach or explain grammatical rules. There is no gradation of difficulty following on from one unit to the next, so they do not need to be used in any particular order. There is, however, a "story" running through them, following the progress of Petya Savchenko, a 15-year-old boy who has just moved to Moscow, as he makes new friends and discoveries there. He also corresponds with an English girl, Sally, who is learning Russian. The units run from September (the start of a new school year) through to the summer holidays, when Sally visits Moscow on a school trip.

The book would be ideally suited for use as a "revision course" through the fifth year for pupils who have already studied Russian for two or three years, though we hope that teachers who do not have the comparative luxury of a three or four year course to GCSE will find much in it that can be adapted to their needs.

There is also no consistent gradation from easy to hard running through the exercises within each unit, though where applicable they will tend to build up from simple patterns to more complex ones. We have tried to include tasks covering the range of 'basic' and 'higher' skills, but have not attempted to define the level of difficulty of each particular exercise.

The main components of each unit are:

1. Two or three dialogues, both recorded and printed, with comprehension questions in English. These attempt to cover the main areas of each topic, and can be used for either 'teaching' or 'testing' (or a combination of the two).

2. Two or three sets of model "Questions and Answers to Learn." These are designed mainly to help pupils to generate conversations, and to provide the main structures and patterns they need to build on. They could, for example, be used to stimulate pair-work. They are sometimes useful, too, as reference material for written work. We have not, as a rule, given any grammatical explanations of the structures, though the inflections are marked in bold type. There are occasional grammar notes (mark-

ed by the symbol ◯) covering such topics as **éздить/éхать** or directional prepositions, where we thought an extra revision aid might be useful.

3. A variety of exercises covering the four skill areas. (Many of the listening exercises require the pupil to fill in a table or grid. So that these can be photocopied more economically, some of the smaller grids have been printed together at the back of the book.)

4. A handwritten letter from Sally (in those units covering appropriate topics), both for reading practice and as a model for written work.

5. A vocabulary list. We have tried to make these function as both a reference list and a revision aid. Each list aims to cover fairly comprehensively the words which occur in the unit, but they are subdivided into thematic groups to make them more useful for revision purposes. Thus words directly relevant to the topic of the unit will tend to appear in the earlier sub-groups, and the 'miscellaneous' or less directly relevant words which occur in the unit will come towards the end. Each sub-group is arranged in alphabetical order. Each list is also divided into three sections: Basic, Higher, and Extra, corresponding roughly to words required for the Basic and Higher GCSE examina-

tions, and to those not included in most GCSE syllabuses.

There is obviously quite a lot of repetition across the lists, as many words will feature in more than one unit. To reduce the repetition, some of the more common words, or those which occur in a large number of the topic areas, have not been included in the "Unit" lists, but are listed in a "General Vocabulary" section, also arranged thematically, at the back of the book. Pupils should be warned to look in the "General" list if they fail to find a particular word in the "Unit" list.

6. A Key, giving answers to the exercises.

There are also occasional sections of 'background information' (marked by the symbol ▭) on such topics as addresses and telephone numbers, public transport, cafés and restaurants, etc.

At the back of the book there is the General Vocabulary list, as mentioned above, and also an Appendix containing transcripts of the listening exercises (apart from the main Dialogues which are printed in the units).

Inevitably, we will not have covered all the situations and vocabulary of all the various GCSE syllabuses, but we hope that the range of material will be of use to all who teach or learn Russian.

Dear friends! This country is going through some fundamental changes now. The changes have influenced this book. It had been finished by the summer 1990. Since that time the names of some central Moscow streets and metro stations have been changed. So the Moscow tourist can meet now some entirely unknown names like: Okhotny Ryad, Lubyanka, Mokhovaya, and so on. Unfortunately prices in Moscow shops have been also changed: there had been a considerable rise in prices by the summer 1991. We hope that all these "new old" Moscow streets and metro stations names and new prices in Moscow shops as well will appear in the next (2nd) edition of this book.

Introduction

Each unit of this book will help you to prepare for one of the topics in your GCSE Russian syllabus.

The units follow the progress of a Soviet schoolboy, Petya Savchenko, as he makes new friends and new discoveries after moving to Moscow.

Before starting Unit 1, read the paragraph below in which Petya introduces himself.

Can you find out:

1. how old he is.
2. where he was born.
3. when he moved to Moscow.
4. how many times he has been there before.
5. what is special about tomorrow.

(The answers are in the Key at the end of Unit 1.)

Здра́вствуйте! Меня́ зову́т Пе́тя, моя́ фами́лия Са́вченко. Мне пятна́дцать лет. Я роди́лся в Ленингра́де. А ме́сяц наза́д я перее́хал в Москву́. Мои́ роди́тели бу́дут тепе́рь рабо́тать в Москве́, и у меня́ то́же начнётся но́вая жизнь. Я никогда́ ра́ньше не́ был в Москве́ и пока́ никого́ здесь не зна́ю. За́втра — 1 сентября́, пе́рвый день но́вого уче́бного го́да. Зна́чит, за́втра бу́дет но́вая шко́ла, но́вые учителя́ и, наве́рное, но́вые друзья́.

Unit 1

Меня зовут...
А тебя?

Dialogue 1

September 1st — the first day of the new term.
Outside the classroom, before the first lesson, Petya meets another pupil.
Listen to the conversation and try to find out:
1. what the other boy's name is.
2. which class they will be in.
3. the names of the streets where they live.

Алёша. Здра́вствуй! Ты но́венький? Я тебя́ ра́ньше в на́шей шко́ле не ви́дел.

Пе́тя. Да, я сего́дня пе́рвый день в э́той шко́ле.

Алёша. А в како́м ты кла́ссе?

Пе́тя. В восьмо́м «Б». А ты?

Алёша. Я то́же в восьмо́м «Б». Зна́чит, тебе́ то́же пятна́дцать лет, да? А тебя́ как зову́т?

Пе́тя. Пе́тя. Пе́тя Са́вченко.

Алёша. А меня́ — Алёша. Фами́лия — Рома́нов. Ты отку́да прие́хал?

Пе́тя. Из Ленингра́да.

Алёша. А в Москве́ где живёшь?

Пе́тя. Недалеко́ отсю́да, на Пу́шкинской. А ты?

Алёша. Я то́же бли́зко живу́ — на Тверско́й у́лице.

Пе́тя. Вот здо́рово! Зна́чит, мы смо́жем встреча́ться по́сле шко́лы, да?

Алёша. Коне́чно, без пробле́м.

Questions and Answers to Learn (1)

Вопро́сы
Questions

Отве́ты
Answers

1.

Как	тебя́ Вас	зову́т?

Меня́ зову́т ...	А тебя́? А Вас?

What is your (first) name?

My name is ... What's yours?

2.

Ско́лько	тебе́ Вам	лет?

Мне ... лет.	А тебе́? А Вам?

How old are you?

I'm ... years old. And you?

3.

Отку́да	ты	(прие́хал)? (прие́хала)?
	Вы	(приехали)?

Я	(прие́хал) (прие́хала)	из Москвы́. из Ленингра́да. из А́нглии.	А ты? А Вы?

Where are you from? (Where do you come from?)

I'm	from Moscow. from Leningrad. from England.	And you?

4.

Где	ты живёшь? Вы живёте?

Я живу́	в Москве́. в Ленингра́де. в А́нглии.	А ты? А Вы?

Where do you live?

I live	in Moscow. in Leningrad. in England.	And you?

Я живу́	на у́лице Го́рького. на Пу́шкинской у́лице.

I live	on Gorky Street. on Pushkin Street.

Exercise 1. Role Play

Meet Petya's sister, Zoya. She is 12. Like Petya, she was born in Leningrad, but now lives in Moscow, on Pushkin Street.

Take it in turns with your partner to be Zoya in this conversation with a new friend, Nina. Supply Zoya's answers and ask for the same information from Nina.

Ни́на. Здра́вствуй! Ты — но́венькая, да? Как тебя́ зову́т?
Зо́я. ...Мне... Зову́т Нина А ...тебя́?
Ни́на. Меня́ — Ни́на. Ско́лько тебе́ лет?
Зо́я. ...Мне... А ...?
Ни́на. Мне уже́ трина́дцать лет. Ты отку́да прие́хала?
Зо́я. ...Leningrad
Ни́на. А где ты сейча́с живёшь?
Зо́я. ... ... в ..., на ...Pushkin

Сейчас я живу Москве

Exercise 2

Now try, in turns, asking and answering the same questions about yourself.

Dialogue 2

In the classroom, Petya's new form-teacher (**кла́ссный руководи́тель**) introduces him to the class and enters some of his details in the register (**кла́ссный журна́л**).

Can you note down the following details:

1. His birthday.
2. His address. Pushkin
3. His telephone number. —34 - 8
4. His parents' occupations.

10

Учи́тельница. Ребя́та, я ви́жу, у нас в кла́ссе но́вый учени́к. Дава́йте с ним познако́мимся. Скажи́, пожа́луйста, как тебя́ зову́т?

Пе́тя. Пе́тя. Пётр Са́вченко.

Учи́тельница. О́чень прия́тно. А меня́ зову́т Ири́на Ива́новна. Я — твой кла́ссный руководи́тель. Мне ну́жно записа́ть тебя́ в кла́ссный журна́л. Назови́, пожа́луйста, по́лностью и́мя, о́тчество и фами́лию.

Пе́тя. Пётр Андре́евич Са́вченко.

Учи́тельница. Когда́ и где ты роди́лся?

Пе́тя. В 1976 году́, в Ленингра́де.

Учи́тельница. А день рожде́ния?

Пе́тя. 7 января́.

Учи́тельница. Твой дома́шний а́дрес?

Пе́тя. Пу́шкинская у́лица, дом де́сять, кварти́ра три́дцать де́вять.

Учи́тельница. Спаси́бо, Пе́тя, но мне ну́жно записа́ть та́кже и но́мер твоего́ телефо́на.

Пе́тя. 229-34-86 (две́сти два́дцать де́вять, три́дцать четы́ре, во́семьдесят шесть).

Учи́тельница. Два-два-де́вять, три-четы́ре, во́семь-шесть. Пра́вильно?

Пе́тя. Да.

Учи́тельница. Спаси́бо. Подойди́ ко мне, пожа́луйста, по́сле заня́тий, я запишу́ в журна́л, где рабо́тают твои́ роди́тели.

Пе́тя. Хорошо́.

Dialogue 3

During the break between lessons Alyosha introduces Petya to a girl in the same class.

Listen for the following information:
1. Why does Petya recognize Natasha?
2. What nationality are Petya's parents?
3. Why will it be easy for Natasha to visit Leningrad?

Алёша. Петя, ты ещё не познакомился с девчонками из нашего класса?

Петя. Нет ещё. Но я знаю, что вон та девочка живёт в нашем доме, только на другом этаже.

Алёша. Это Наташа Молчанова. Красивая, правда? Я сейчас позову её. Наташка! Подойди к нам!

Наташа. Привет! Что случилось?

Алёша. Ничего. Просто я хочу познакомить тебя с новичком. Это Петя Савченко. Между прочим, твой сосед.

Наташа. Да? Очень приятно. Наташа. Ты, Петь, из Киева, наверное, приехал? У тебя украинская фамилия.

Петя. У меня отец — украинец, а мама — русская, а приехали мы в Москву из Ленинграда.

Наташа. Ой! А я давно мечтаю съездить в Ленинград. У меня там подруга живёт. Прямо в центре, на Невском проспекте. На каникулы, наверное, поеду в Ленинград.

Петя. Не пожалеешь. Тебе обязательно понравится там.

12

Questions and Answers to Learn (2)

1.

Как	твоё Ваше	и́мя?

Моё и́мя . . .

What is your (first) name?

My (first) name is . . .

2.

Как	твоё Ва́ше	о́тчество?

Моё о́тчество . . .

What is your patronymic?

My patronymic is . . .

3.

Как	твоя́ Ва́ша	фами́лия?

Моя́ фами́лия . . .

What is your surname?

My surname is . . .

4.

Где	ты роди́лся/родила́сь? Вы роди́ли́сь?

Я роди́лся/родила́сь	в Москве́. в Ленингра́де.

Where were you born?

I was born	in Moscow. in Leningrad.

5.

В како́м году́ . . .?

В 1972 (. . . второ́м) году́. В 1973 (. . . тре́тьем) году́.

In which year . . .?

In 1972/1973.

6.

Когда́	твой/Ваш у тебя́/Вас	де́нь рожде́ния?

Мой У меня́	де́нь рожде́ния	10 (деся́того) 3 (тре́тьего)	ма́я. ию́ня.

When is your birthday?

My birthday is	May 10th. June 3rd.

Я ру́сский/ру́сская. Я англича́нин/англича́нка. Я украи́нец/украи́нка. Я грузи́н/грузи́нка.

I am Russian/English/Ukrainian/Georgian.

What nationality are you?

7. Кто | ты вы | по национа́льности?

Exercise 3. Role Play

Try being Zoya again, and answering your new teacher's questions. Your full name is, of course, Zoya Andreyevna Savchenko. Like Petya, you are Ukrainian by nationality but you were born in Leningrad on March 4th 1979. Take it in turns to be Zoya.

Учи́тель. Скажи́, пожа́луйста, Зо́я, как твоя́ фами́лия?
Зо́я. ...Савченко

Учи́тель. А о́тчество?
Зо́я. Андреевна

Учи́тель. Спаси́бо. Где ты родила́сь, Зо́я, и в како́м году́?
я родилась **Зо́я.** ...Ленинграде .1979

Учи́тель. А день рожде́ния?
Зо́я. ...4 ого Марта

Учи́тель. Так. А кто ты по национа́льности?
Зо́я. ...украинка

Учи́тель. Спаси́бо, Зо́я.

Exercise 4

Now try asking and answering the same questions about yourself. (One of them will not be applicable, of course! Have you worked out which one?)

☐ А́дрес и телефо́н

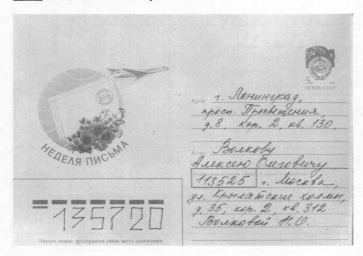

Remember that addresses in Russian are written (and spoken) the opposite way round to English ones, i.e.:
Country,
Region,
City (+ index/post code),
Street, House No., Flat No.,
Name.

You will usually see **куда́** (where to) and **кому́** (to whom) on envelopes and postcards.

14

Remember that **дом** in Russian is not usually a house but a whole block of flats. Sometimes a **дом** even consists of more than one building, like a row of blocks of flats. In such cases, each separate building is called a **ко́рпус**. So an address might be **дом 6, ко́рпус 2, кварти́ра 35** (flat 35, in building 2 of house No. 6).

The following abbreviations are used:

обл. — о́бласть (region/country) **д.** — дом (house = block of flats)
р-н — райо́н (region/district) **кор.** — ко́рпус ('building'/'block')
г. — го́род (city/town) **кв.** — кварти́ра (flat)
ул. — у́лица (street) **пр.** — прое́зд (passage way)
пр. — проспе́кт (avenue) **пер.** — переу́лок (narrow street)
пл. — пло́щадь (square)

Telephone numbers in most large Soviet cities have 7 digits and are usually read in groups of 3, 2 and 2 digits, not separately, one by one, as in English (though, Russian sometimes read back each digit separately when they are taking a number down, just as a double check).

For example, the number 164-13-89 will be read "one hundred and sixty four, thirteen, eighty nine", ... so you will need to practice your "hundreds" in Russian,

i.e.: **сто** — 100 **четы́реста** — 400
  две́сти — 200 **пятьсо́т** — 500
  три́ста — 300 **шестьсо́т** — 600

0 as a separate digit is **ноль**. So 20 would just be **два́дцать** but 02 would be **ноль два**.

Exercise 5

Try writing down five telephone numbers from the tape.
(See the Key for the correct answers.)

Exercise 6. «Запиши́ мой но́мер телефо́на»

1. Now listen to Natasha giving Petya her telephone number. He asks her to repeat it, and then checks that he has got it right by reading it back a digit at a time.

Ната́ша. Пе́тя, запиши́ мой но́мер телефо́на: 292-69-51.
Пе́тя. Две́сти... Повтори́, пожа́луйста.
Ната́ша. 292-69-51.
Пе́тя. Так... 2-9-2, 6-9, 5-1. Пра́вильно?   *correct*
Ната́ша. Да, всё пра́вильно.

2. Make up three Moscow telephone numbers of your own and try reading them to your partner. See if he/she can read them back to you as separate digits. Say whether the number is right (**пра́вильно**) or wrong (**непра́вильно**). (To ask someone to repeat something, say «**Повтори́(те), пожа́луйста**».)

Exercise 7

Listen to the cassette. Three people, Boris, Anna, and Sally, will introduce themselves. Fill in as much information as you can about them on the chart below.
Be careful—they may not give the information in the same order as the items in the chart!
(Don't worry too much about spelling all the names and place-names correctly. You can check the proper Russian spelling afterwards from the Key.)

И́мя	Бори́с	А́нна	Са́лли
О́тчество	Andreiwd	Nugzarovna	
Фами́лия	Maola)	Buritya	
Национа́льность	Rusi -	Gruzinha	
Да́та рожде́ния	1978		
Ме́сто рожде́ния	Moscow	Tbilisi	
А́дрес	Moscow 9th St 1625	Novgorod 9th St 2413	
Но́мер телефо́на	336:83:	06 19:68:25	
	15 Jan.	9th April 1972	

16

Check your chart with the completed one in the Key, and then use the corrected information to practise all the questions and answers in this chapter. Imagine the three characters are all starting a new school. Take it in turns with your partner to be one of them and their new teacher. Ask and answer all the questions necessary to fill in the register.

Exercise 8. "Fill in the Form" («Запо́лните бланк!»)

Petya has to fill in a form to join the local library.
Which of the following items of information are required? Make two lists: required and not required.

Date of birth
Nationality
Home address
Passport number
Parents' occupation(s)
Parents' signature(s)
First name(s)
Signature
Place of birth
Telephone number

ФОРМУЛЯР ЧИТАТЕЛЯ

№				
Год				

Фамилия _____
Имя, отчество_____
Год рождения _____
Национальность_____
Образование_____
Профессия_____
Учебное заведение (если учится) _____

Домашний адрес, телефон_____

Паспорт серия _____ № _____
Кем и когда выдан _____

Состоит читателем библиотеки с_____

Правила библиотеки обязаюсь выпол-
нять_____

(подпись читателя)

10 сент. 1991.

"Химия и жизнь"

Евгений Онегин

Герой нашего

20 сент. 1991.

Научная фантасти

"Катера и яхты"

26 сент. 1991. Тургенев «Первая любовь»

17

Exercise 9

The language on forms of this sort is very different to the language of spoken questions. For instance, instead of asking "Where do you live?" a form would simply have the word 'address'.

Can you match up the 'form' words in the left hand column below with the corresponding "spoken" questions in the right hand column?

age

sex

A. Профе́ссия	1. Как Вас зову́т? C
B. Ме́сто рабо́ты	2. Где Вы роди́лись? G
C. И́мя и о́тчество	3. Отку́да Вы? H
D. Во́зраст	4. Вы – мужчи́на и́ли же́нщина (ма́льчик и́ли де́вочка)? F
E. Да́та рожде́ния	5. Кем Вы рабо́таете? A
F. Пол	6. Где Вы рабо́таете? B
G. Ме́сто рожде́ния	7. Когда́ Вы роди́лись? E
H. Национа́льность	8. Где Вы живёте? I
I. А́дрес	9. Ско́лько Вам лет? D

Exercise 10

Imagine you came to Moscow. Try to fill in some forms given below.

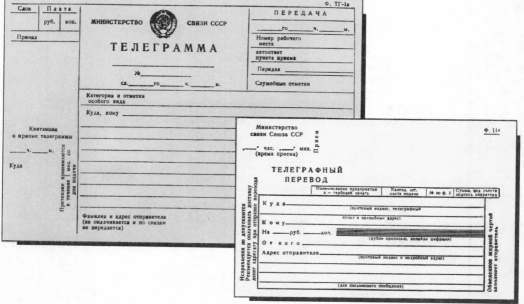

18

ТАМОЖЕННАЯ ДЕКЛАРАЦИЯ

Фамилия, имя, отчество _____

Гражданство _____

Из какой страны прибыл _____

В какую страну следует _____

Цель поездки (деловая, туризм, личная и т. п.) _____

Мой багаж, включая ручную кладь, предъявляемый для таможенного контроля, состоит
из _____ мест.

При мне и в моем багаже имеются:

I. Оружие всякое и боеприпасы

II. Наркотики и приспособления для их употребления

III. Предметы старины и искусства (картины, рисунки, иконы, скульптуры и др.)

IV. Советские рубли, облигации государственных займов СССР и билеты советских лоте-
рей, а также чеки В/О „Внешпосылторг" и отрезные чеки Внешторгбанка СССР в рублях
серии „А"

V. Другая валюта (кроме советских рублей), (банкноты, казначейские билеты, монеты),
платежные документы(чеки, векселя, аккредитивы и другие), фондовые ценности (акции,
облигации и другие) в иностранной валюте, драгоценные металлы (золото, серебро, плати-
на, металлы платиновой группы) в любом виде и состоянии, природные драгоценные кам-
ни в сыром и обработанном виде (алмазы, бриллианты, рубины, изумруды, сапфиры,
а также жемчуг), ювелирные и другие бытовые изделия из драгоценных металлов и драгоценных камней и лом таких изделий, а также имущественные документы.

Наименование	Количество		Отметки таможни
	цифрами	прописью	
Доллары США			
Фунты стерлингов			
Французские франки			
Марки ФРГ			

VI. Принадлежащие другим лицам советские рубли, другая валюта, платежные документы,
ценности и любые предметы

Мне известно, что наряду с предметами, поименованными в декларации, подлежат
обязательному предъявлению для контроля: произведения печати, рукописи, кинофото-
пленки, видео- и звукозаписи, почтовые марки, изобразительные материалы и т. п., равно
как и предметы не для личного пользования.

Также заявляю, что отдельно от меня следует принадлежащий мне багаж в коли-
честве _____ мест.

«____»_____ 199___ г.

Подпись владельца ручной клади
и багажа _____

№ _____
(по реестру ф. 11)

№ _____
(по реестру ф. 10)

Прием

ИСПРАВЛЕНИЯ НЕ ДОПУСКАЮТСЯ
Отправителю рекомендуется отмечать
доставку денег на дом адресату

Наименование предприятия связи, к—гербовая печать	Календ. шт. места подачи	№ по ф. 5	Сумма, вид услуги, подпись оператора

ПОЧТОВЫЙ ПЕРЕВОД на _____ руб. _____ коп.

(рубли прописью, копейки цифрами)

Куда _____
(почтовый индекс и подробный адрес)

Кому _____

От кого _____

Адрес _____
(почтовый индекс и подробный адрес)

(шифр и подпись)

ЛИНИЯ ОТРЕЗА

Министерство
связи Союза ССР

ТАЛОН

к почтовому переводу

на _____ руб. _____ коп.

От кого _____

_____

Адрес _____
(почтовый индекс и подробный адрес)

Л И Н И Я   О Т Р Е З А

Министерство
связи Союза ССР

№ _____
(по реестру ф 11)

ИЗВЕЩЕНИЕ

о почтовом переводе № _____
(по тетр. ф. 51)

на _____ руб. _____ коп.

Куда _____
(почтовый индекс

_____
и подробный адрес)

Кому _____

_____

ОТ _____ ДО _____
(куда явиться за получением и время)

Обведенное жирной чертой заполняется отправителем

Форма № 4-и

Утверждена приказом Госкомиздата СССР от 02.03.82 № 91

наименование издательства

КАРТОЧКА АВТОРА, РЕДАКТОРА, РЕЦЕНЗЕНТА

1. _____
фамилия,

_____
имя,

_____
отчество

2. Год и месяц рождения _____

3. Национальность _____

4. Семейное положение (количество детей) _____

5. Партийность _____

6. Образование:
   а) _____
      высшее, средне-специальное, среднее общее

   б) _____
      название и дата окончания высшего или

   _____
      среднего специального учебного заведения

7. Специальность _____

8. Ученое звание или степень _____

9. Имеет ли печатные труды (перечень книжных из-
даний) _____

10. Редактировал, рецензировал в других издательствах _____

Начислены %%

р. _____ к. _____

ПРИХОДНЫЙ ОРДЕР   Ф. № 51

Счет № _____

_____ 198___ г.

(фамилия, имя и отчество вкладчика)

Прошу ПРИНЯТЬ вклад в сумме

_____

____ Руб. ____ Коп.

ВНЕС:

_____

Принято	ОСТАТКИ (после взноса)
	Вклада ____ %%

Филиал
№ _____

Контролер
(оператор)

Кассир

Письмо́ от Са́лли

There is another new development in Petya's life — he has just received his first letter from a new English penfriend:

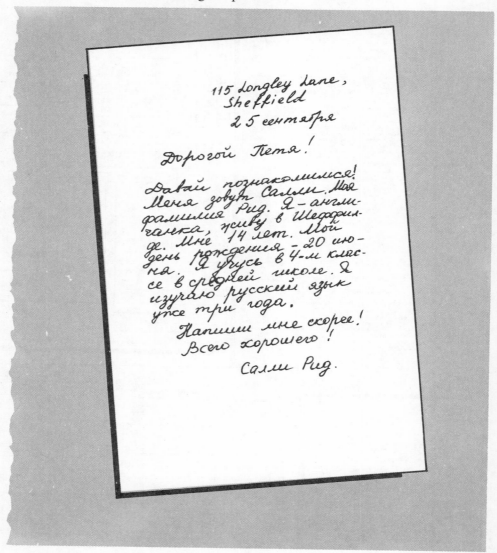

In addition to the basic biographical details, what two details does Sally give about her school life?

Write a similar letter to an imaginary Russian penfriend about yourself.

Vocabulary

See the note on Vocabulary Lists (section 5) in the Preface for an explanation of how the lists are arranged. If you can't find a word in this list, it may be in the "General Vocabulary" list at the back of the book.

BASIC

а́дрес address
англича́нин Englishman
англича́нка Englishwoman
во́зраст age
вре́мя time
грузи́н Georgian (man)
грузи́нка Georgian (woman)
да́та date
де́вочка/девчо́нка girl
день рожде́ния birthday
дом house
дома́шний а́дрес home address
же́нщина woman
жизнь life
звать/назва́ть to call; ...зову́т ...name is
и́мя (first) name
кварти́ра flat
ма́льчик boy
ма́ма mother/mum
ме́сто place
мужчи́на man
национа́льность nationality
но́мер телефо́на telephone number
о́бласть region/country
оте́ц father
о́тчество patronymic
пло́щадь square
пол sex
проспе́кт avenue
профе́ссия profession
райо́н region/district
роди́тели parents

роди́ться to be born
ру́сская Russian (woman)
ру́сский Russian (man)
телефо́н telephone
украи́нец Ukrainian (man)
украи́нка Ukrainian (woman)
украи́нский Ukrainian (adj.)
у́лица street
фами́лия surname
число́ date
эта́ж floor/storey

ви́деть to see
всего́ хоро́шего best wishes
дорого́й dear
записа́ть to write down
запиши́(те)! write down!
напиши́(те)! write down!
начина́ться to begin/start
перее́хать to move (house)
писа́ть/написа́ть to write
повторе́ние repetition
повторя́ть/повтори́ть to repeat
подписа́ться to sign
по́дпись signature
подпиши́(тесь!) sign!
подходи́ть/подойти́ to approach/go up to
познако́мить to introduce/acquaint
познако́миться to get to know/meet
пра́вильно correct/right
приве́т hello
прие́хать to arrive/come

друзья́ friends
зада́ние task
кани́кулы holidays
класс class
кому́ to whom
краси́вый beautiful
но́вый new
подру́га friend (girl)
пра́вильно correct/right
случи́ться to happen/occur; что случи́лось? what's happened/what's up?
сосе́д neighbour
уче́бный год school year
учени́к pupil/schoolboy
учени́ца pupil/schoolgirl
учи́тельница teacher
учи́ть(ся) to learn/study
шко́ла school; сре́дняя шко́ла secondary school
язы́к language

HIGHER

заня́тия lessons
звать to call
изуча́ть to learn/study

ко́рпус block/building
подъе́зд entrance (to block of flats)

пока́ while/for now; пока́ не... until/not yet...

EXTRA

жале́ть/пожале́ть to regret
кла́ссный журна́л form register
кла́ссный руководи́тель form teacher/tutor

мечта́ть to dream of (i. e. want to do)
но́венькая new pupil (girl)
но́венький new pupil (boy)
новичо́к new pupil

переу́лок street/lane
по́лностью completely/in full
прое́зд street
съе́здить to make a trip to

Introduction

1. 15. 2. Leningrad. 3. One month ago. 4. None. 5. It is September 1st — the first day of the school year.

Dialogue 1

1. Alyosha Romanov. 2. 8b. 3. Pushkin St., Tverskaya St.

Dialogue 2

1. 7 January 1976.
2. Pushkin St., House 10, Flat No. 39.
3. 229-34-86
4. No, you can't! Petya is going to give her this information later, after school.

Dialogue 3

1. Because she lives in the same block of flats, on a different floor.
2. Father — Ukrainian; Mother — Russian.
3. She has a friend living there.

Exercise 5

1. 223-44-86
2. 416-52-07
3. 390-11-24

4. 165-19-79
5. 506-02-81

Exercise 7

И́мя	Бори́с	А́нна	Са́лли
О́тчество	Андре́евич	Нугза́ровна	—
Фами́лия	Ма́слов	Бери́дзе	Рид
Национа́льность	ру́сский	грузи́нка	англича́нка
Да́та рожде́ния	15.01.78	9.04.72	20.06.77
Ме́сто рожде́ния	Москва́	Тбили́си	Ло́ндон
А́дрес	Москва́, ул. Во́лгина, д.13, кор. 1, кв. 25	Но́вгород, Октя́брьская ул., д.7, кор. 2, кв.13	115 Ло́нгли Лэйн, Шеффилд
Но́мер телефо́на	336-83-06	19-68-25	0742-687139

Exercise 8

Required
Nationality
Home address
Passport number
First name(s)
Signature
Telephone number

Not required
Date of birth (only the year is required)
Parents' occupation(s)
Parents' signature(s)
Place of birth

Exercise 9

A-5, B-6, C-1, D-9, E-7, F-4, G-2, H-3, I-8

Unit 2

Моя семья

Dialogue 1

Petya is showing Alyosha some photos of his family at his house.
1. How many people are there in his family (i.e. living with him)?
2. What jobs do his parents do?
3. Who has a cat?
4. Where do his granny, grandpa, uncle, and aunt live?
5. Which of his parents is Uncle Denis related to?
6. What do we find out about Alyosha's family?

 **Алёша.** Петь, сколько человек у вас в семье?

Пётя. Четверо: мать, отец, сестра и я.

Алёша. У тебя есть сестра? А сколько ей лет?

Пётя. Ей только двенадцать лет.

Алёша. А как её зовут?

Пётя. Её зовут Зоя. Давай я покажу тебе фотографии. Это — сестра, а это отец и мать.

Алёша. Кстати, как зовут твоих родителей?

Пётя. Папу — Андрей Васильевич, а маму — Мария Антоновна.

Алёша. Кем работает твой отец?

Пётя. Он работает тележурналистом.

Алёша. А мама, наверное, не работает?

Пётя. Что ты! Она — инженер на большом заводе.

Алёша. А это кто?

Пётя. Это брат моего отца — дядя Денис, а это его жена — тётя Таня.

Алёша. У тебя бабушка и дедушка есть?

Пётя. Есть. Родители моего отца. Вот их фотография.

Алёша. Где они живут? С вами?

Пётя. Нет, они живут на Украине, в селе, с дядей Денисом и тётей Таней. Там у них тоже двое внуков — Дима и Оля.

Алёша. Значит, у тебя есть ещё и двоюродные брат и сестра? А у меня нет ни бра́тьев, ни сестёр. У меня́ до́ма есть то́лько соба́ка. Её зову́т Рекс. А у тебя́ есть до́ма каки́е-нибудь живо́тные?

Пе́тя. У нас до́ма нет, а у ба́бушки есть ко́шка Ки́ся.

Семья́ Са́вченко

1. Андре́й Васи́льевич Са́вченко (оте́ц)

2. Мари́я Анто́новна Са́вченко (мать)

3. Пётр Андре́евич Са́вченко

4. Зо́я Андре́евна Са́вченко (сестра́)

5. Еле́на Григо́рьевна Са́вченко (ба́бушка)

6. Васи́лий Па́влович Са́вченко (де́душка)

7. Дени́с Васи́льевич Са́вченко (дя́дя)

8. Татья́на Никола́евна Са́вченко (тётя)

Questions and Answers to Learn (1)

1.

Ско́лько челове́к у	тебя́ Вас	в семье́?

Нас	дво́е/тро́е/че́тверо/пя́теро/ше́стеро/се́меро.

How many people are in your family?

There are 2/3/4/5/6/7 of us.

2.

У тебя́ есть	брат/бра́тья? сестра́/сёстры?

Да, у меня́ есть	брат/бра́тья. сестра́/сёстры.
Нет, у меня́ нет	бра́та/бра́тьев. сестры́/сестёр.

Have you got	a brother/any brothers? a sister/any sisters?

Yes, I've got (a)	brother(s). sister(s).
No, I haven't got (a)	brother(s). sister(s).

3.

Ско́лько у тебя́	бра́тьев? сестёр?

У меня́ –	оди́н брат/одна́ сестра́. два бра́та/две сестры́. три бра́та/три сестры́.

How many	brothers sisters	have you got?

I've got 1/2/3	brother(s). sister(s).

4.

Как	его́ её их	зову́т?

Его́ Её Их	зову́т	Пе́тя. Зо́я. Пе́тя и Зо́я.

What	is are	his her their names?	name?

He's She's They're	called	Petya. Zoya. Petya and Zoya.

5.

Ско́лько	ему́ ей им	лет?	Ему́ Ей Им	оди́н год. два/три/четы́ре го́да. пять/шесть . . . лет.

How old	is	he? she?	He's She's They're	. . . (years old).
	are they?			

6.

У	тебя́ Вас	до́ма есть живо́тные?	Да, у меня́ есть	соба́ка/ко́шка/пти́ца/ры́бки.
			Нет, у меня́ нет живо́тных.	

Have you got any pets?	Yes, I've got a	dog/cat/bird/fish.
	No, I haven't got any pets.	

7.

Кем рабо́тает	оте́ц/па́па? мать/ма́ма?	Он, Она́	рабо́тает	инжене́ром. врачо́м. учи́телем.
		Она́		медсестро́й. секрета́ршей.
		Он — Она́ —	инжене́р врач. учи́тель.	
		Она́ —	медсестра́. секрета́рша.	

What is your	father's/dad's mother's/mum's	job?	He She	works as a(n)	engineer. doctor. teacher. nurse. secretary.
			He She	is a(n)	engineer. doctor. teacher. nurse. secretary.

8.

Где рабо́тает	отéц/пáпа? мать/мáма?	Он Онá	рабóтает	на заво́де. в шко́ле.

Where does your	father mother	work?	He She	works in a	factory. school.

Вопро́сы к взро́слым!

Questions for grown-ups!

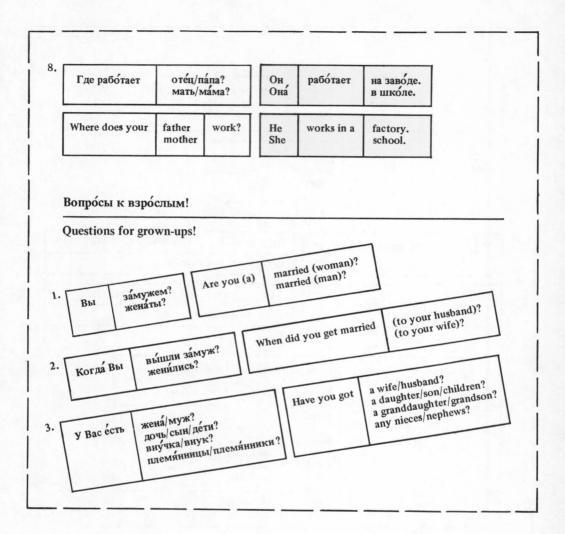

1.	Вы	зáмужем? женáты?	Are you (a)	married (woman)? married (man)?

2.	Когдá Вы	вы́шли зáмуж? жени́лись?	When did you get married	(to your husband)? (to your wife)?

3.	У Вас éсть	женá/муж? дочь/сын/дéти? вну́чка/внук? племя́нницы/племя́нники?	Have you got	a wife/husband? a daughter/son/children? a granddaughter/grandson? any nieces/nephews?

Exercise 1. Игрá

Here's a game you can play with your partner (or in teams).

Look back to the pictures of Petya's family on page 25. Choose any two numbers from 1 to 8 and give your partner 5 seconds to say, in Russian, what relation they are, not to Petya, but to each other. For example: Nos. 7 & 8 (дя́дя Дени́с and тётя Тáня) will be муж и женá (not дя́дя и тётя).

There are 28 possible combinations (some of them, of course, will produce the same pair of words, because there are various husband and wife, or brother and sister pairs). Try and set your partner the more difficult ones!

Exercise 2. Какáя семья?

Here are four families. Listen to the tape and see if you can tell which family is being described.

Now with a partner take it in turns to be **the eldest son** in one of the pictures. Your partner must work out which is your family by asking you the questions about your "relatives". (You will have to guess the ages of your "brothers" and "sisters" from their pictures.)

Dialogue 2

Today at school No. 45 there is a **роди́тельское собра́ние** (parents' evening) and Petya's parents are going to meet his new teachers. Before they go, Maria Antonovna is checking the name of his form teacher (**кла́ссная руководи́тель-ница**).

What do we discover about Petya's teacher?

Мари́я Анто́новна. Пе́тя, я иду́ на роди́тельское собра́ние. Скажи́, как зову́т твою́ кла́ссную руководи́тельницу?

Пе́тя. Её зову́т Ири́на Ива́новна Кузьмина́.

М. А. А как она́ вы́глядит?

Пе́тя. Она́ высо́кая и по́лная.

М. А. Каки́е у неё во́лосы?

Пе́тя. У неё дли́нные тёмные во́лосы.

М. А. А како́го цве́та её глаза́?

Пе́тя. У неё чёрные глаза́.

М. А. Како́й у неё хара́ктер? Она́ стро́гая?

Пе́тя. Нет, она́ весёлая и до́брая.

Questions and Answers to Learn (2)

1.

Как	он она́	вы́глядит?

Он Она́	высо́кого ма́ленького сре́днего	ро́ста.

Он высо́кий и стро́йный.

Она́ ма́ленькая и то́лстая/по́лная.

What does	he she	look like?

He's She's	tall. small. medium-sized.

He's tall and slim.

She's small and fat.

2.

Каки́е	у него́ у неё	во́лосы?

Како́го цве́та	его́ её	глаза́?

У	него́ неё	тёмные/све́тлые дли́нные/коро́ткие чёрные/ры́жие	во́лосы.

голубы́е/ка́рие/се́рые глаза́.

What sort of What colour of	hair eyes	has	he she	got?

He's She's	got	dark/fair long/short black/ginger	hair.

blue/brown/grey eyes.

3.

Како́й у	него́ неё	хара́ктер?

Он до́брый и весёлый.

Она́ симпати́чная и энерги́чная.

What is	he she	like?

He is kind and cheerful.

She is nice and energetic.

4.

Опиши́те	э́того челове́ка. э́ту же́нщину.

Это	молодо́й ста́рый	челове́к мужчи́на	с	коро́ткими седы́ми	волоса́ми.
	молода́я ста́рая	же́нщина		голубы́ми зелёными	глаза́ми.

Describe	this person. this woman.

He She	is a(n)	young old	man woman	with	short grey	hair.
					blue green	eyes.

31

Exercise 3. А как он вы́глядит?

Maria Antonovna must also meet Zoya's form teacher (**кла́ссный руководи́-
тель**) at the parents' evening. Here is his photo and some of his details:

Его́ зову́т Алекса́ндр Ана-
то́льевич Три́фонов. Он не-
высо́кий и стро́йный, с седы́-
ми волоса́ми и зелёными
глаза́ми. Он но́сит очки́.
Он у́мный и прия́тный че-
лове́к.

Take it in turns with your partner to supply Zoya's lines in the following dialogue with her mother:

Мари́я Анто́новна. Зо́я, я иду́ на роди́тельское собра́ние. Как зову́т твоего́
кла́ссного руководи́теля?

Зо́я. . . . .

М. А. А как он вы́глядит?

Зо́я. . . . .

М. А. Каки́е у него́ во́лосы?

Зо́я. . . . .

М. А. Како́го цве́та его́ глаза́?

Зо́я. . . . .

М. А. Како́й у него́ хара́ктер? Он стро́гий?

Зо́я. . . . .

Exercise 4

Now here are some more details of some of Zoya's other teachers. Repeat the conversation from exercise 3 with a partner, describing each one in turn. To describe what they look like, look at the pictures.

Учительница математики Мария Фёдоровна Зайцева. Она строгая и несимпатичная.

Учитель английского языка Сергей Иванович Долгорукий. Он умный и весёлый.

Учительница истории Ирина Сергеевна Хмелёва. Она симпатичная и талантливая.

Учитель физики Глеб Николаевич Маслов. Он очень добрый и умный.

Exercise 5. Игра

Play this game with your partner. Describe either one of your teachers or a fellow pupil in Russian (say which it is) and they have to guess who it is. You each begin with ten points. Every time you give a piece of information (i. e. colour of eyes, hair, size, character, etc.) they lose a point. They also lose a point if they guess the identity of the person wrongly. When they have guessed who it is write down their score, now it is their turn to describe someone and time for you to see if you can get a better score!

Dialogue 3

Now listen to the conversation which takes place one evening as the family prepare to go out to the theatre and answer these questions:

1. What does Petya want to wear to go out?
2. What does his mother want him to wear?
3. What does Zoya want to wear to go out?
4. What does her mother want her to wear?

Мари́я Анто́новна. Пе́тя, ты гото́в идти́ в теа́тр?

Пе́тя. Да, ма́ма.

М. А. Ну, что ты наде́л?

Пе́тя. Джи́нсы, кра́сную ма́йку, си́ний сви́тер и мои́ люби́мые кроссо́вки.

М. А. Нет, э́то ужа́сно! Тебе́ на́до наде́ть кори́чневые брю́ки, руба́шку, га́лстук, пиджа́к и ту́фли. Иди́ переоде́нься, пожа́луйста!

Пе́тя. Хорошо́, ма́ма.

М. А. Зо́я, ты гото́ва? Ты в чём?

Зо́я. Да, ма́ма. Я в голубо́й блу́зке и чёрной ю́бке и в сапога́х.

М. А. Нет, э́то нехорошо́. Лу́чше наде́нь зелёное пла́тье, ту́фли и плащ.

Зо́я. Ну ма́ма...

М. А. Переодева́йся, пожа́луйста!

Оде́жда

Here are some of the clothes Petya and Zoya have in their wardrobes:

9. ту́фли
10. сви́тер
11. руба́шка
12. носки́

5. шарф
6. кроссо́вки
7. ма́йка
8. ша́пка

1. пиджа́к
2. джи́нсы
3. га́лстук
4. брю́ки

9. плащ
10. сапоги́

5. ту́фли
6. пла́тье
7. шу́ба
8. кроссо́вки

1. блу́зка
2. ю́бка
3. джи́нсы
4. плато́к

Оде́жда Пе́ти | **Оде́жда Зо́и**

NB! You may have noticed that there are two ways to say what people are, were or will be wearing. You can:

a) use **в** + **Prepositional** with the verb 'to be' (to say what someone is, was or will be 'in');

or

b) use the verb **наде́ть** (to put on) + **Accusative** (to say what someone has just, or is going to put on).

Check carefully how they are used with masculine, feminine and plural items of clothing in the examples below.

3*

Questions and Answers to Learn (3)

1.

В чём	ты/он(а)?	Я/он(а)	в	тёмном красном синем	костю́ме. сви́тере.
	ты/он(а) был(а)?	Я/он(а) был(а)			
	ты бу́дешь? он(а) бу́дет?	Я бу́ду Он(а) бу́дет		тёмной красной синей	ю́бке. руба́шке.
				тёмных красных синих	брю́ках. очка́х.

2.

Что	ты/он(а) наде́л(а)?	Я/он(а) наде́л(а)	тёмный красный синий	костю́м. сви́тер.
	ты наде́нешь? он(а) наде́нет?	Я наде́ну Он(а) наде́нет	тёмную красную синюю	ю́бку. руба́шку.
			тёмные красные синие	брю́ки. очки́.

1.

What	are you/is he/she	wearing?	I He She	am/is was will be	wearing	(a)	dark red navy	suit jumper. skirt. shirt. trousers. glasses.
	were you/was he/she will you/he/she be							

2.

What	are you/is he/she wearing?		I He She	am is	wearing going to wear		
	are you is he/she	going to wear?					

The verb **носи́ть** (to wear) is mainly used to say what someone **usually, often, always, never**, etc., wears. For example:

Он но́сит очки́.	He wears glasses.
Я никогда́ не ношу́ га́лстук.	I never wear a tie.
Она́ обы́чно но́сит ша́пку.	She usually wears a hat.

Exercise 6. Identity Parade!

Three of the following people were involved in a serious crime. Listen to the eye-witness account on the tape and see if you can work out who the criminals are.

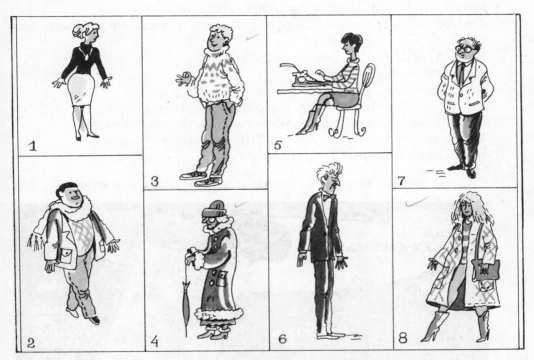

Now with your partner, pretend you have witnessed a crime, choose three of these people and describe them and see if he/she can work out who the criminals are!

Dialogue 4

At home Petya and Zoya are discussing their new school...
Listen to the tape and answer these questions:
1. What does Zoya not like about her new school?
2. What does Alyosha look like?
3. What does Natasha look like?
4. Does Petya think Natasha is beautiful?
5. What is Petya going to do next?

Зо́я. Тебе́ нра́вится на́ша но́вая шко́ла, Пе́тя?

Пе́тя. Неплоха́я шко́ла. Учителя́ хоро́шие, и ребя́та симпати́чные. А тебе́?

Зо́я. Согла́сна — шко́ла неплоха́я. То́лько моя́ учи́тельница англи́йского языка́ о́чень стро́гая. А как зову́т твоего́ но́вого дру́га — э́того высо́кого ма́льчика со све́тлыми волоса́ми?

Пе́тя. Э́то Алёша. Хоро́ший па́рень, ме́жду про́чим!

Зо́я. А кто э́та де́вочка с дли́нными тёмными волоса́ми и зелёными глаза́ми?

Пе́тя. А, э́то Ната́ша, она́ из моего́ кла́сса.

Зо́я. Она́ о́чень краси́вая.

Пе́тя. По-мо́ему, не о́чень.

Зо́я. Пра́вда? А мне ка́жется, что она́ тебе́ нра́вится.

Пе́тя. Помолчи́, пожа́луйста. Не меша́й смотре́ть телеви́зор.

Зо́я. А что ты смо́тришь? Фильм "Пе́рвая любо́вь" *, да?

Пе́тя. Замолчи́, Зо́йка!

---

* **«Пе́рвая любо́вь»** ("First Love"), a novel by I. Turgenev, and a film of the novel.

Письмо́ от ба́бушки

Maria Antonovna has just received a letter from Petya and Zoya's Granny, Elena Grigoryevna...

Дорогая мама!

Спасибо за твоё письмо и за приглашение приехать к вам.

Я очень рада, что у вас в Москве всё в порядке, что вы уже привыкли к новой квартире. У нас здесь тоже всё хорошо.

Вчера мы были на свадьбе. Выходила замуж Катя, дочь нашей соседки Тамары Петровны. Ты помнишь Катю? Очень энергичная и красивая девушка с длинными рыжими волосами. А жених её — учитель у нашей школы. Он, по-моему, замечательный человек. Он, правда, невысокого роста, но очень симпатичный: у него волосы тёмные, а глаза серые.

Невеста была в длинном белом платье, а жених — в тёмном костюме. Очень хорошая пара!

Родители жениха радовались, что сын женится на такой красивой девушке. Тамара Петровна тоже рада, что дочь вышла замуж, она ведь давно мечтает о внуке или внучке.

Свадебный обед был у Тамары Петровны. Гостей было много. Пели и танцевали до вечера.

Денис с Татьяной тоже были на свадьбе, им свадьба тоже понравилась. Вот и все новости. Целую вас всех и надеюсь скоро вас увидеть. До свидания.

Кися вам тоже передаёт привет.

Ваша мама
и бабушка.
1 октября 1990 г.

Read this letter and answer these questions:
1. Whose wedding has Elena Grigoryevna been to?
2. What does the bride look like?
3. What are we told about the groom's appearance?
4. What did the bride and groom wear?
5. What are Tamara Petrovna's feelings about the wedding?
6. Who else does she mention as having been at the wedding?

Письмо́ от Са́лли

Petya has also received a letter—his second from Sally...

115 Longley Lane,
Sheffield
15 октября

Дорого́й Пе́тя!

Спаси́бо большо́е за письмо́ и за фотогра́фии твое́й семьи́.

Вот фо́то мое́й семьи́. Моего́ отца́ зову́т Ри́чард. Он — учи́тель матема́тики. Мою́ мать зову́т Энн, она́ — секрета́рша. (Так мо́жно сказа́ть по-ру́сски?)

У меня́ есть ста́рший брат. Его́ зову́т Дэ́вид. Ему́ 17 лет. Он у́чится в мое́й шко́ле и о́чень лю́бит футбо́л.

У нас есть ма́ленькая соба́ка. Её зову́т Дже́сси. И ещё у нас есть ры́бки и пти́ца.

Как ты ви́дишь, я стро́йная, с дли́нными тёмными волоса́ми и голубы́ми глаза́ми.

А на́ша ба́бушка така́я же ма́ленькая и по́лная, как твоя́ ба́бушка! Её зову́т Ма́ргарэт. Она́ живёт в селе́ в Де́воне.

Я о́чень жду твоего́ письма́. Напиши́ мне о твое́й но́вой кварти́ре!

Всего́ хоро́шего!

Са́лли.

Can you work out who is who in the photograph? Write down ten pieces of information Sally gives us about her family.

Try and write a similar letter in Russian about your family.

40

Vocabulary

BASIC

ба́бушка grandmother
брат brother
де́душка grandfather
де́ти children
дочь daughter
дя́дя uncle
жена́ wife
мать mother
мла́дший younger
муж husband
оте́ц father
роди́тели parents
семья́ family
сестра́ sister
ста́рший elder
сын son
тётя aunt

ко́шка cat
ры́бка fish
пти́ца bird
соба́ка dog

выходи́ть/вы́йти за́муж to get married (take a husband)
жена́тый married (man)
жени́ться/пожени́ться to get married (take a wife)
за́мужем married (woman)
любо́вь love

де́вочка (little) girl
де́вушка girl
дом house
друг friend (male)
друзья́ friends

же́нщина woman
ма́льчик boy
мужчи́на man
подру́га friend (female)
челове́к person

врач doctor
журнали́ст journalist
заво́д factory/works
инжене́р engineer
медсестра́ nurse
секрета́рь secretary
село́ village
учи́тель teacher

бе́лый white
блонди́н blonde (man)
блонди́нка blonde (woman)
брюне́т dark-haired man
брюне́тка dark-haired woman/brunette
весёлый jolly/cheerful
во́лосы hair
высо́кий tall
глаза́ eyes
голубо́й light blue
дли́нный long
до́брый kind
зелёный green
коро́ткий short
краси́вый beautiful
кра́сный red
люби́мый favourite
молодо́й young
невысо́кий short
несимпати́чный unpleasant/nasty
но́вый new

прия́тный pleasant
рост height
све́тлый fair
се́рый grey
симпати́чный nice
си́ний dark blue
сре́дний medium
ста́рый old
стро́йный slim
тала́нтливый talented
тёмный dark
то́лстый fat
у́мный clever
хара́ктер character
цвет colour; како́го цве́та? what colour?
чёрный black

блу́зка blouse
брю́ки trousers
га́лстук tie
джи́нсы jeans
костю́м suit
кроссо́вки trainers
ма́йка T-shirt
надева́ть/наде́ть to put on/wear
носи́ть to wear
носки́ socks
оде́жда clothes
очки́ glasses
пальто́ overcoat
пиджа́к jacket
пижа́ма pyjamas
плато́к headscarf
пла́тье dress/frock
плащ raincoat
руба́шка shirt

сапоги́ boots
сви́тер sweater
ту́фли shoes
ша́пка (fur) hat
шарф scarf
шу́ба fur coat
ю́бка skirt
гото́в ready
ждать to wait
игра́ game

идти́ to come
исто́рия history
кварти́ра flat
но́вости news
обе́д lunch/dinner
петь to sing
письмо́ letter
показа́ть to show
по́мнить to remember
приглаше́ние invitation

прие́хать to come/arrive
ра́доваться to be pleased/glad
смотре́ть телеви́зор to watch
television
сосе́дка neighbour
танцева́ть to dance
фи́зика physics
фотогра́фия photograph
хорошо́ good, well

HIGHER

взро́слый grown up
внук grandson
вну́чка granddaughter
двою́родная сестра́ cousin *(f.)*
двою́родный брат cousin *(m.)*
жени́х bridegroom
живо́тное animal; дома́шнее
живо́тное pet
неве́ста bride
па́рень lad
племя́нник nephew

племя́нница niece

ва́ленки felt boots
вы́глядеть to look/appear
замеча́тельный remarkable
ка́рий brown (eyes)
кори́чневый brown (clothes)
опи́сывать/описа́ть to describe
по́лный plump
ры́жий ginger (hair)
седо́й grey (hair)

смешно́й funny
стро́гий strict
счастли́вый happy/lucky
энерги́чный energetic

меша́ть to hinder/disturb
наде́яться to hope
согла́сен/согла́сна in agreement
целова́ть to kiss

EXTRA

всё в поря́дке all in order/every-
thing's fine
го́сти guests
замолчи́(те)! be quiet/shut up!
кла́ссная руководи́тельница
form teacher *(f.)*
кла́ссный руководи́тель form
teacher *(m.)*

па́ра pair
передава́ть/переда́ть приве́т to
send (one's) regards
переодева́йся/переоде́нься! get
changed!
переодева́ться/переоде́ться to
change clothes

помолчи́(те)! be quiet/shut up!
привыка́ть/привы́кнуть to get
used to
роди́тельское собра́ние parents'
evening
сва́дебный wedding *(adj.)*
сва́дьба wedding

Dialogue 1

1. Four.
2. Father—television journalist, mother—engineer.
3. Granny.
4. In the Ukraine in a village.
5. Father—his brother.
6. He has no brothers or sisters, but he has a dog called Rex.

Dialogue 2

She is called Irina Ivanovna Kuzmina. She is tall and plump. She has long, dark hair and dark (black!) eyes. She is cheerful and kind.

Dialogue 3

1. Jeans, red T-shirt, navy sweater, favourite boots.
2. Brown trousers, shirt, tie, jacket, and shoes.
3. Blue blouse, black skirt, and boots.
4. Green dress, shoes, and coat.

Exercise 4

The criminals are No. 3, No. 4 and No. 8.

Dialogue 4

1. Her English teacher is strict.
2. He's tall with dark hair.
3. She's got short fair hair and green eyes.
4. Not very.
5. Watch TV.

Письмо́ от ба́бушки

1. Katya's—daughter of her friend Tamara Petrovna.
2. Energetic and beautiful with long red hair.
3. Dark hair, grey eyes and short but nice.
4. The bride wore a long white dress and the groom a dark suit.
5. She's happy that her daughter has got married at last and that she will have grandchildren.
6. Uncle Denis and Aunt Tatyana.

Unit 3

Мой дом

Dialogue 1

Alyosha is asking Petya about where he used to live in Leningrad, and about his new flat in Moscow. Listen to their conversation and:
1. note down as many differences as you can between Petya's old flat in Leningrad and his new one in Moscow;
2. say what he likes about his old flat;
3. say what he dislikes about his new flat;
4. say what the rest of his family think of the new flat.

Ленинград. Один из новых районов

Алёша. Петь, в Лениграде вы жили в центре города?

Пётя. Нет, довольно далеко от центра, в новом микрорайоне. Мы жили в двадцатиэтажном доме, в большой квартире с двумя балконами.

Алёша. На каком этаже?

Пётя. На восемнадцатом. Мне очень нравился вид из окна моей комнаты: направо — новые дома, налево — лес.

Алёша. А здесь недалеко Страстной бульвар.

Пётя. Это хорошо, но я всё равно не могу пока привыкнуть к Москве, к шумному центру города, к старым домам вокруг.

Алёша. Ну, к своей новой квартире ты, наверное, уже привык?

Пётя. Нет. Знаешь, наша ленинградская квартира была более современной. И ещё, там у нас было четыре комнаты, а здесь — только три. Там был лифт, а здесь — лестница.

Алёша. А твоим родителям нравится здесь?

Пётя. Больше всех рады мама и Зойка. Маме нравится большая кухня, а Зойке — большая гостиная. Правда, у отца здесь нет отдельного кабинета и гараж здесь далеко от дома... И ещё, конечно, шум.

Алёша. Но зато Наташка живёт в этом доме.

Пётя. Ну, тогда пойдём гулять, может быть, встретим её во дворе!

Москва. Пушкинская улица

Questions and Answers to Learn (1)

1.

| В како́м до́ме | ты живёшь? вы живёте? | What sort of house do you live in? |

2.

| В како́й кварти́ре вы живёте? | What sort of flat do you live in? |

3.

| На како́м этаже́ вы живёте? | Which floor do you live on? |

4.

| В како́м райо́не вы живёте? | What sort of area do you live in? |

5.

| Ско́лько вре́мени Давно́ До́лго | вы | здесь там | живёте? | How long have you lived | here? there? |

6.

| Когда́ вы перее́хали | сюда́? туда́? | When did you move | here? there? |

7.

| У вас есть | сад гара́ж | ря́дом с пе́ред за | до́мом? | Have you got a | garden garage | next to in front of behind | the house? |

8.

| Ско́лько ко́мнат у вас в до́ме? | How many rooms are there in your house? |

9.

| Каки́е ко́мнаты у вас в до́ме? | What rooms are there in your house? |

10.

| Ско́лько спа́лен у вас в до́ме? | How many bedrooms are there in your house? |

1.

Я живу́ Мы живём	в	большо́м небольшо́м ма́леньком	ста́ром но́вом	одноэта́жном двухэта́жном трёхэта́жном многоэта́жном	до́ме.

I We	live in a	big small	old new	one-storey two-storey three-storey multi-storey	house. (block).

2–3.

Мы живём в	большо́й ма́ленькой	двухко́мнатной трёхко́мнатной...	кварти́ре на	пе́рвом второ́м тре́тьем...	этаже́.

We live in a big/small, 2/3 room flat on the lst/2nd/3rd floor.

4.

Мы живём в	ти́хом шу́мном	райо́не	далеко́ недалеко́	от це́нтра го́рода.

We live in a	quiet noisy	area	a long way not far	from the city centre.

5.

Мы живём здесь/там четы́ре го́да/пять лет.	We've lived here/there for 4/5 years.

6.

Мы перее́хали	сюда́ туда́	в про́шлом году́. три го́да наза́д.	We moved	here there	last year. 3 years ago.

7.

У нас есть	сад гара́ж	ря́дом с пе́ред за	до́мом.	We've got a	garden garage	next to in front of behind	the house.

8–10.

У нас в до́ме семь ко́мнат: внизу́ гости́ная, столо́вая и ку́хня, а наверху́ — ва́нная и три спа́льни.

Our house has seven rooms: downstairs — a lounge, dining-room and kitchen, und upstairs — a bathroom and three bedrooms.

Exercise 1. Кто где живёт?

Four British students, John, Clare, Simon, and Anne are studying Russian in Moscow, and are telling some friends about the sort of houses they live in. They all live in or around the city of Grimesville. Listen to the recordings, and try to match each person to a) a suitable house and b) a suitable location on the map below (e. g., Clare—House 1, Location E).

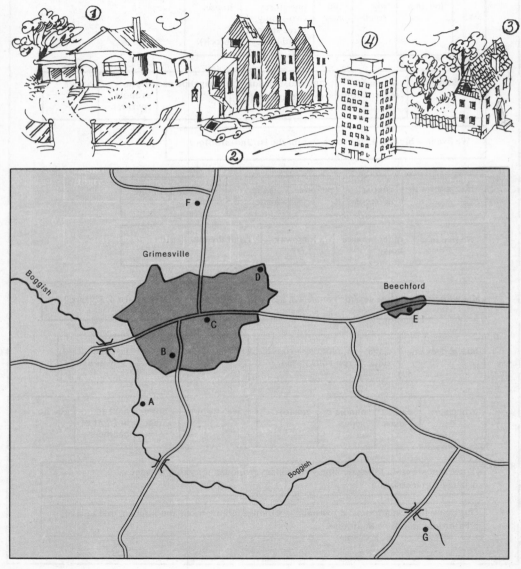

Exercise 2

Now listen to the same recordings again and tick the appropriate boxes on the chart below. For example: if you think Simon has no bathroom, put a tick in the column under Simon opposite "Has no bathroom."

	John	Clare	Simon	Anne
1. Has no bathroom			✓	
2. Has two bathrooms		✓		
3. Has only one bedroom			✓	
4. Has the most bedrooms		✓		
5. Has no garden	✓			
6. Lives in the quietest area				✓
7. Lives in the newest house		✓		

Exercise 3. Сыгра́ем в шпио́нов!

To practise some of these complicated sentences, try being a spy and sending some coded messages to your partner. You have to tell him/her the names of a number of **A** and **C** agents he/she has to contact. But so that the names don't fall into enemy hands you have to spell them out using this code, pretending that you are just talking about where you live:

old house	= **M**	garden behind house	= **С**
new house	= **O**	garden in front of house	= **Р**
big house	= **Б**	noisy area	= **И** (or **Й**)
small house	= **Т**	quiet area	= **Ш**
1—storey house	= **Е** (or **Ё**)	not far from city centre	= **П**
2—storey house	= **А**	far from city centre	= **Я**
3—storey house	= **К**	garage beside the house	= **Н**
3 bedrooms	= **В**	4 bedrooms	= **Л**

So the message: "I live in a small, one-storey house. We've got a garden in front of the house. It's in a noisy area." would give the letters **ТЕРИ** (i. e. Terry). Your contact can't speak English, of course, so the message will have to be:

«Я живу́ в ма́леньком, одноэта́жном до́ме. У нас есть сад пе́ред до́мом. Наш райо́н шу́мный».

A few limitations: you won't be able to use names that use the same letter twice, like **Боб** because that would make a rather silly message, and you can't use certain letters in the same word either, like **м** and **о**, or **и** and **ш**, because you can't live in an old and a new house, or a noisy and quiet area, at the same time! (You can have two gardens, though,— one behind the house and one in front!)

The order of the items in the message might not always be the most logical one, of course, but don't forget that you can always just say, for instance, **Это большо́й дом** instead of **Я живу́ в большо́м до́ме** if it makes a better message and saves you repeating yourself too much.

You can probably think of plenty of suitable names yourself, but to save you time there's a list of possible ones below. (You can use it to choose a message to send, but don't look at it while your partner is reading you a message—it makes it too easy to guess!)

Try decoding this written message, just to check you've got the hang of it:

«Я живу́ в двухэта́жном до́ме. У нас четы́ре спа́льни. Э́то в шу́мном райо́не, но у нас есть большо́й сад за до́мом».

(Answer in the Key)

And now try the two messages recorded on the cassette.

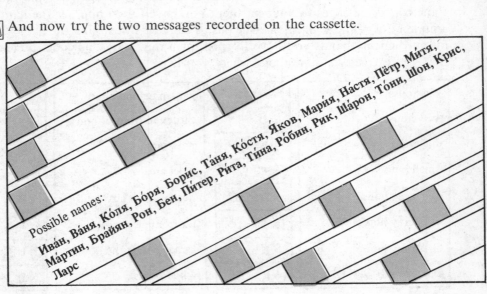

Possible names:

Ива́н, Ва́ня, Ко́ля, Бо́ря, Бори́с, Та́ня, Ко́стя, Я́ков, Мари́я, На́стя, Пётр, Ми́тя, Ма́ртин, Бра́йан, Рон, Бен, Пи́тер, Ри́та, Ти́на, Ро́бин, Рик, Ша́рон, То́ни, Шон, Крис, Ларс

Dialogue 2

Friday evening, at the end of the first week of school. Natasha has called round at her new neighbour's flat to see what he's doing over the weekend. She's also curious, of course, to see what his flat looks like...

1. Which items of furniture did Petya's family bring from Leningrad, and which did they buy in Moscow?
2. Where do the family eat in the morning? And in the evening?
3. What aspect of the modern kitchen does Petya think is not an improvement on their old kitchen in Leningrad?
4. Why is Natasha a little sarcastic about the value of his opinion on this matter?
5. What jobs do Petya and his dad help within the house?
6. Fill in three times on this chart.

	Petya	
	Goes to bed	Gets up
Weekdays	10	
Saturdays	11	
Sundays		10

Ната́ша. Кака́я интере́сная ме́бель! У вас всё о́чень краси́во, а ведь вы то́лько неда́вно перее́хали сюда́...

Пе́тя. Да, ме́сяц наза́д перее́хали.

Ната́ша. А ме́бель? Всю привезли́ с собо́й из Ленингра́да?

Пе́тя. Нет, не всю. То́лько не́которые ве́щи перевезли́ из Ленингра́да — вот э́тот большо́й кни́жный шкаф и ста́рый буфе́т. А мно́го веще́й: дива́н, и кре́сла, и все крова́ти — купи́ли здесь, в Москве́.

Ната́ша. Ку́хня прекра́сная — всё о́чень совреме́нное — и больша́я. Вы за́втракаете и у́жинаете здесь?

Пе́тя. Да, е́сли нет госте́й, то в ку́хне. А е́сли го́сти, то у́жинаем в гости́ной. А в ку́хне, действи́тельно, всё но́вое — плита́, холоди́льник, шкафы́. Плита́ да́же электри́ческая. Са́мая совреме́нная. Но по-мо́ему, гото́вить на га́зовой плите́...

Ната́ша. Пра́вда? Зна́чит, ты сам гото́вишь?!

Пе́тя. Да нет, но ма́ма говори́т, что бо́льше лю́бит газ. Ма́ма обы́чно гото́вит, а па́па иногда́ помога́ет ей. Мы с па́пой обы́чно мо́ем посу́ду, а я ещё ча́сто хожу́ в магази́ны.

Ната́ша. Пе́тя, что ты де́лаешь в воскресе́нье? Не хо́чешь пое́хать за́ город? Мы с друзья́ми е́дем в лес — собира́ть грибы́ и де́лать шашлыки́.

Пе́тя. Коне́чно хочу́! А во ско́лько?

Ната́ша. Встре́тимся у Белору́сского вокза́ла в во́семь утра́.

Пе́тя. В во́семь утра́ у вокза́ла! Так ра́но! Я в воскресе́нье обы́чно встаю́ в де́сять часо́в.

Ната́ша. Лентя́й! Ты, наве́рное, о́чень по́здно ложи́шься спать?

Пе́тя. Нет — в бу́дни ложу́сь о́коло десяти́, а в суббо́ту в оди́ннадцать. Ла́дно, послеза́втра обяза́тельно вста́ну ра́но, раз ты приглаша́ешь меня́ на шашлыки́!..

Ку́хня в совреме́нной городско́й кварти́ре

Изба́ с ру́сской пе́чью

Совреме́нная городска́я кварти́ра

52

*Совреме́нная городска́я
кварти́ра*

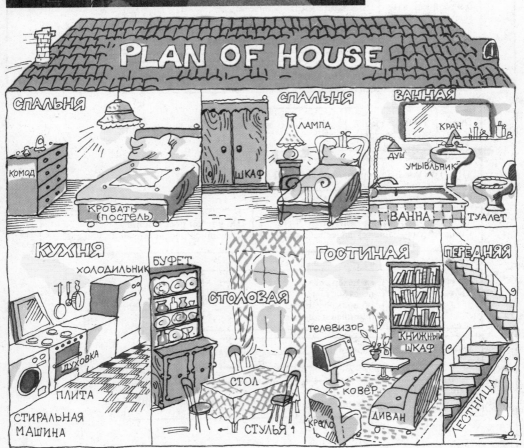

Questions and Answers to Learn (2)

1.

Что Кака́я ме́бель	у тебя́ у вас	стои́т в	спа́льне? гости́ной? столо́вой?

What (furniture) have you got in your bedroom/lounge/dining room?

2.

Кака́я у	тебя́ вас	ку́хня? ва́нная? спа́льня?

What is your	kitchen bathroom bedroom	like?

3.

В како́й ко́мнате Где	вы за́втракаете/у́жинаете?
	ты за́втракаешь/у́жинаешь? ты де́лаешь дома́шние зада́ния?

In which room do you have breakfast/have dinner/do your homework?

4.

(Как)	ты помога́ешь вы помога́ете	роди́телям до́ма?

(How) do you help your parents at home?

5.

Тебе́ даю́т карма́нные де́ньги? Ско́лько (карма́нных) де́нег тебе́ даю́т?

Do you get pocket money? How much pocket money do you get?

6.

Вы рабо́таете Ты рабо́таешь	по вечера́м? по суббо́там? по воскресе́ньям? оди́н раз в неде́лю?

Do you work in the evenings or on Saturdays/Sundays?

7.

Ско́лько	вы зараба́тываете? ты зараба́тываешь?

How much money do you earn?

1.

У меня́ У нас	в спа́льне в гости́ной в столо́вой	телеви́зор/крова́ть/ кни́жный шкаф/стол/ видеомагнитофо́н...

In my In our	bedroom lounge dining room	there is a	television/ bed/bookcase/ table/video...

2.

У нас У меня́	больша́я ма́ленькая совреме́нная старомо́дная	ку́хня. ва́нная. спа́льня.

We've got a I've got a	big small modern old-fashioned	kitchen. bathroom. bedroom.

3.

Мы	за́втракаем у́жинаем	в ку́хне. в столо́вой. в гости́ной.

Я де́лаю дома́шние зада́ния	

We have	breakfast dinner	in	the kitchen. the dining room. the lounge.

I do my homework			

4.

Я помога́ю	ма́ме па́пе ма́тери отцу́ роди́телям	гото́вить. мыть посу́ду. де́лать поку́пки. убира́ть ко́мнату. накрыва́ть на стол.

I help my	mum dad mother father parents	to do	the cooking. the washing up. the shopping. to tidy up the room. to set the table.

5.

Я получа́ю от роди́телей два фу́нта в неде́лю.	I get £2 a week from my parents.

6.

Я рабо́таю в магази́не	по вечера́м. два ра́за в неде́лю. по суббо́там.

I work in a shop	in the evenings. twice a week. on Saturdays.

7.

Я зараба́тываю	10 фу́нтов 20 фу́нтов	в неде́лю. в ме́сяц.

I earn	£10 £20	a week. a month.

Petya is not the most organised young man in the world. Luckily, his long-suffering mother usually knows exactly where he has left everything.
Listen for which room and whereabouts in the room the missing items are, e. g., **под столо́м в столо́вой** = dining room/under the table.

	Room	Whereabouts
1. Library ticket	kitchen	on table
2. English-Russian dictionary	bedroom	under bed
3. Yellow tie	lounge	on sideboard
4. Old jeans	bedroom	in cupboard
5. New black shoes	lounge	behind armchair
6. Cinema tickets	hall	under telephone

Natasha does a lot of helping around the house. Listen to what she says, and sort out the days, people, and jobs in the following lists into the right combinations. Which day does she have to herself?

MONDAY	mum Sat	cook breakfast Sat
TUESDAY	dad W	cook dinner W
WEDNESDAY	grandma M	washing up F
THURSDAY	grandpa F	homework T
FRIDAY	younger brother	wash car Sun
SATURDAY	elder brother Sun	shopping M
SUNDAY		

Thursday

Questions and Answers to Learn (3)

1.

В котором часу вы обычно	просыпаетесь? встаёте? завтракаете? выходите из дому? обедаете? приходите домой? ложитесь спать?	When do you usually	wake up? get up? have breakfast? leave the house? have lunch? arrive home? go to bed?

2.

Когда вы	проснулись встали позавтракали вышли из дому пообедали пришли домой легли спать	сегодня вчера	утром? вечером?

When did you	wake up get up have breakfast leave the house get home go to bed	today? this morning? yesterday? last night?

1.

Я обычно: просыпаюсь встаю завтракаю выхожу из дому обедаю прихожу домой ложусь спать	в семь часов. в четверть восьмого. полдевятого. без четверти четыре. без двадцати десять.	I usually: wake up get up have breakfast leave the house have lunch arrive home go to bed	at	7 o'clock. quarter past 7. half past 8. quarter to 4. 20 to 10.

2.

Сегодня Вчера	(утром) (вечером)	я	проснулся (лась) встал (а) позавтракал (а) вышел/вышла из дому пообедал (а) пришёл/пришла домой лёг/легла спать	в...

Today Yesterday This morning Last night	I	woke up got up had breakfast left the house had lunch got home went to bed	at...

Use this clock to revise telling the time. The times marked are from 1.00 to 1.55.

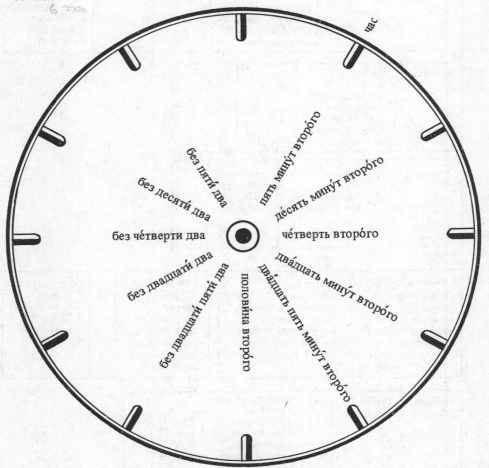

Remember:
1) '5 minutes of the second' = 5 past 1;
2) to say 'at' a time use **в** — but not with times starting with **без** or **пол.** These times don't need a word for 'at'.

Remember, too, that you can always say **час два́дцать пять** (1:25) or **час со́рок** (1:40) instead of '25 past 1' or '20 to 2', if you forget how to work the times out the hard way!

58

Exercise 6. «На́ша програ́мма на за́втра»

Take a short holiday from "House and Home" by going on a tourist trip to Moscow, to practise telling the time! Listen as your guide tells you what your programme for tomorrow will be.

It is a good idea to get into the habit of checking times you hear in Russian by repeating them the "easy" way (i. e. **шесть два́дцать** instead of **два́дцать мину́т седьмо́го**) because it`s very easy to be an hour late for everything!

In this exercise, you are an excessively punctilious tourist and insist on checking every time you hear!

Jot down each time as you hear it (in figures, e. g., 8.45, 12.30, etc.), then pause the tape and see if you can ask the guide to confirm that you've got it right, by repeating her message with the "easy" version of the time. When you start the tape again you should hear the necessary confirmation. Follow the pattern of this example, which is recorded at the start of the exercise:

Гид. Внима́ние! Прослу́шайте, пожа́луйста, на́шу за́втрашнюю програ́мму. За́втра мы бу́дем за́втракать полдевя́того в буфе́те...

Тури́ст. Зна́чит, мы бу́дем за́втракать **в во́семь три́дцать**?

Гид. Соверше́нно пра́вильно, за́втрак в во́семь три́дцать.

Exercise 7. Role Play

When you have filled in all the times correctly, try using the chart to generate some questions and answers with your partner, taking it in turns to be the tourist and the guide.

The tourist asks what time a particular item will take place. For example: «Скажи́те, пожа́луйста, в кото́ром часу́ за́втра бу́дет обе́д?»

The guide can answer, giving the time in any form (s)he can manage!

Exercise 8

Petya has been deviating from his normal routine quite a bit lately. Listen to each statement and try to write a sentence in English saying what he did, on which day, and how many minutes earlier or later than usual he did it. Each sentence will be along the lines of:

Today   Petya ... minutes earlier/later than usual.
Yesterday   *Petya went to bed 50 min later than usual*
On Monday   *went to school 20 min late —*

Example

Statement No. 1 is: «Обы́чно я просыпа́юсь без че́тверти семь, а вчера́ я проснýлся полседьмо́го».

So your sentence will read:

"**Yesterday** Petya **woke up 15 minutes earlier** than usual."

(You may find you need to jot down the two times you hear, in order to work out the difference between them!)

Let's read a little

КУПЛЮ

7288-06. Импортный компьютер, дисковод, монитор, принтер, дискеты 5,25; 3,5, компакт-кассеты. тел. 271-41-53.

6989-240. Гараж (в черте города). Тел. 443-16-23.

6990-360. Большой кожаный чемодан; чистошерстяной новый ковер. Тел. 255-16-03.

7012-360. Старинную картину, предметы быта. Тел. 499-29-34.

5319-240. Старинные открытки. Тел. 205-15-05.

4583-240. Пианино, рояль. Тел. 126-31-55, 281-35-58.

2613-240. Холодильник. Тел. 332-19-49.

7255-720. Старинную мебель: стол, кресла, диван, горку, бюро и др.; старинные картины, светильники, изделия из бронзы. Тел. 290-26-31.

ПРОДАЮ

8293-1080. Диски «Роуз Ройс», Меко, «Бони-М», Джорджа МкКрэя, «Медисин Хед», «Си-Си-Эс», Глории Гейнор, Джимми Клиффа, «Кей Си энд Саншайн Бэнд». Тел. 234-46-44.

7488-1620. Старинные книги: Гейне (стихи и проза); «История дипломатии» (1941 г.), документы по истории гражданской войны (1941 г.), сочинения Пушкина (в одном томе, 1913 г.); «МСЭ» (11 тт, коричневая); Библия (1908 г.). Тел. 128-74-69.

8226-720. Электрическую пишущую машинку «Гермес» с латинским шрифтом. Тел. 175-07-23.

8196-07. Программы для компьютеров. Тел. 908-22-12.

4913-1050. Семена лучших томатов (43 сортов), цуккини, огурцов. Тел. 335-69-91.

5293-540. Лингафонный курс английского языка. Тел. 207-29-84.

4632-240. Лодочный мотор «Вихрь». Тел. 934-68-06.

- Куплю
- Продаю
- Меняю
- Сниму
- Разное

РАЗНОЕ

2771-1848. 20 мая в районе магазина «Ленинград» пропал щенок — самка американского коккер-спаниеля, черного цвета, с белым пятном на груди. Убедительно просим нашедших или знающих о ее местонахождении позвонить по тел. 455-04-12 (хорошее вознаграждение гарантируется).

8057-1008. 30 января (ст. метро «Беляево») утеряны часы с секундомером марки «Полет». Просим вернуть за вознаграждение. Тел. 407-73-06.

Письмо́ от Са́лли

Read the latest letter from Sally, and answer the questions:

1. What sort of street does she live on?
2. What room does the family eat in?
3. What time does Mum usually get home from work?
4. What does Dad claim to be learning to do?
5. What is he good at?
6. What clue is there as to how Sally gets on with her brother?
7. Which garden is bigger, the front one or the back one?
8. What aspect of Petya's flat does Sally not like?

115 Longley Lane,
Sheffield
20 ноября

Здравствуй, Петя!

Спасибо за твоё письмо. Вот фотография моего дома. Это небольшой двухэтажный дом на тихой улице, довольно далеко от центра города. Наверху — три спальни и ванная. А внизу — передняя, гостиная и кухня.

У нас нет столовой, но кухня большая. Мы там завтракаем и ужинаем. Обычно мама готовит, когда она приходит с работы — около пяти часов. Папа говорит, что он "учится" готовить, но пока он не очень хорошо готовит. Он очень хорошо моет посуду! В этом он эксперт! Иногда я помогаю ему, если у меня немного домашних заданий. А мой брат никогда не помогает. Эгоист!

У нас есть два сада — маленький сад за домом и большой сад перед домом. Спасибо за информацию о твоей квартире. Жалко, что у тебя нет сада, но хорошо, что есть балкон!

До свидания.

Салли.

Vocabulary

BASIC

бульва́р avenue/boulevard

гара́ж garage

дом house

кварти́ра flat

краси́вый beautiful

меня́ть to change

но́вый new

перее́хать to move (house)

райо́н region/area

сад garden

ста́рый old

ти́хий quiet

у́лица street

центр го́рода town centre

шум noise

шу́мный noisy

эта́ж storey; одноэта́жный one-storey, двухэта́жный two-storey, трёхэта́жный three-storey

балко́н balcony

буфе́т sideboard/dresser

ва́нная bathroom

видеомагнитофо́н video

внизу́ downstairs

газ gas

гардеро́б wardrobe

гости́ная lounge

дверь door

двор courtyard

дива́н settee

кабине́т study

кни́жный шкаф book-case

ко́мната room

кре́сло armchair

крова́ть bed

ку́хня kitchen

ла́мпа lamp

ле́стница stairs

лифт lift

магнитофо́н tape-recorder

ме́бель furniture

наверху́ upstairs

окно́ window

пиани́но piano

плита́ cooker

пол floor

посте́ль bed

потоло́к ceiling

прои́грыватель record-player

спа́льня bedroom

стена́ wall

стол table

столо́вая dining room

стул chair

телеви́зор television

холоди́льник fridge

цвет colour; како́го цве́та? what colour?

шкаф cupboard

встава́ть/встать to get up

выходи́ть/вы́йти to go out/leave

гото́вить/пригото́вить to cook/prepare

де́лать to do; де́лать поку́пки to do shopping

де́ньги money

до́ма at home

дома́шнее зада́ние (s.) homework

дома́шние зада́ния (pl.) homework

домо́й (to) home

за́втрак breakfast

за́втракать/поза́втракать to have breakfast

и́з дому from home

карма́нные де́ньги pocket money

кото́рый час? what's the time?

купи́ть to buy

ложи́ться/лечь (спать) to go to bed

магази́н shop

мыть посу́ду to wash up

обе́д lunch/dinner

обе́дать/пообе́дать to have lunch/dinner

поку́пки shopping/purchases

получа́ть/получи́ть to receive

помога́ть/помо́чь to help

приходи́ть/прийти́ to come/arrive

стоя́ть to stand

убира́ть ко́мнату to tidy a room

у́жин dinner/supper

у́жинать/поу́жинать to have dinner/supper

фунт pound (£)

вокза́л station

гуля́ть to go for a walk

друг friend

лес forest

приглаша́ть/пригласи́ть to invite

собира́ть грибы́ to pick mushrooms

HIGHER

вещь thing
вид view
внимáние attention
возвращáться/вернýться to return
зáнавес curtain
зарабáтывать to earn
ковёр carpet
накрывáть на стол to set the table
недáвно not long ago

одевáться/одéться to get dressed
передняя hall
привозúть/привезтú to bring (by transport)
привыкáть/привыкнуть to get used to
просыпáться/проснýться to wake up
прóшлый past/last
раз time

раздевáться/разде́ться to get undressed
сáмый most
свет light
совершéнно completely
совремéнный modern
старомóдный old-fashioned
сыгрáть to play
удóбный convenient
умывáться/умы́ться to have a wash
чúстить зýбы to clean teeth

EXTRA

бýдни weekdays
всё равнó all the same
лентя́й lazy person

микрорайóн housing estate
отдéльный separate
шашлыкú kebabs

шпиóн spy
эгоúст selfish person/egoist

Dialogue 1

1. **Moscow**
Near centre
Smaller flat (3 rooms)
In centre
Noisy
Old flat
No lift

Leningrad
Far from centre
Big flat (4 rooms)
On outskirts, good view
Quiet
New flat
Lift

2. In Leningrad he liked the view from his window.

3. In Moscow he doesn't like the noise.

4. In Moscow his mother likes the big kitchen, Zoya likes the big living room, but his father has no study and the garage is far away.

Exercise 1

John: House 2, Location C
Clare: House 1, Location E
Simon: House 4, Location B
Anne: House 3, Location G

Exercise 2

	John	Clare	Simon	Anne
1.			V	
2.		V		
3.				
4.		V		
5.	V		(V)	
6.				V
7.		V		

Exercise 3

Written message: А́лис (Alice).
Recorded messages: 1. Ва́ня. 2. Мари́я (Mary).

Dialogue 2

1. From Leningrad they brought a big book-case and an old sideboard. In Moscow they bought a settee, the armchairs and all the beds.
2. They always eat breakfast in the kitchen and they have supper there too, unless they have guests in which case they eat in the living room.
3. Petya doesn't like the electric hob.
4. Because Petya implies he does the cooking, when in fact his mother does.
5. Petya and his dad do the washing up and Petya does shopping.
6.

	Petya	
	Goes to bed	Gets up
Weekdays	10	
Saturdays	11	
Sundays		10

Exercise 4

Room	Whereabouts
1. Kitchen	on the fridge
2. Bedroom	under the bed
3. Lounge	on top of the sideboard
4. Bedroom	in the cupboard
5. Lounge	behind the armchair
6. Hall	under the telephone

Exercise 5

Monday — grandma — shopping
Tuesday — younger brother — homework
Wednesday — dad — cook dinner
Thursday — day off!
Friday — grandpa — washing up
Saturday — mum — cook breakfast
Sunday — elder brother — wash car

Exercise 6

Breakfast — 8.30
City tour — 9.20
Lunch — 12.45
Visit to the zoo — 2.15
Dinner — 6.30
Folk music concert — 7.40

Exercise 8

1. On Saturday Petya went to bed 50 minutes later than usual. (10.00 — 10.50)
2. Today Petya got to school 20 minutes later than usual. (7.55 — 8.15)
3. On Friday Petya got up 30 minutes later than usual. (7.00 — 7.30)
4. Yesterday Petya had dinner 25 minutes earlier than usual. (6.45 — 6.20)

Письмо́ от Са́лли

1. A quiet one, not far from the town centre.
2. The kitchen.
3. About 5.00.
4. To cook.
5. Washing up.
6. She claims he is selfish (an egoist) because he never helps with the washing up!
7. The front garden is bigger.
8. He hasn't got a garden.

Unit 4

Город, где я живу

Dialogue 1

Petya and Natasha are on the way back from their picnic.
1. Why can't Petya come next Sunday?
2. Write down three facts about Petya's granny's village.
3. Where does Natasha's granny live?
4. What sort of town is it?
5. What can you find in the Ural mountains?

Украинское село

Пе́тя. Мы здо́рово погуля́ли в лесу́. И шашлы́к был хоро́ший.

Ната́ша. Пое́дешь с на́ми в бу́дущее воскресе́нье?

Пе́тя. Нет, не смогу́. Я до́лжен встре́тить на Ки́евском вокза́ле ба́бушку. Она́ приезжа́ет к нам в воскресе́нье.

Ната́ша. А где живёт твоя́ ба́бушка, в го́роде и́ли в дере́вне?

Пе́тя. В дере́вне, точне́е, в селе́. Село́ нахо́дится на за́паде Украи́ны, недалеко́ от Льво́ва. Э́то большо́е и краси́вое село́, называ́ется оно́ Бе́лый Ка́мень.

Ната́ша. А го́ры Карпа́ты далеко́ отту́да?

Пе́тя. Нет, совсе́м бли́зко. Там о́чень краси́во: и го́ры, и лес, и небольша́я ре́чка.

Ната́ша. А моя́ ба́бушка живёт на Ура́ле, в небольшо́м промы́шленном го́роде. Го́род молодо́й, и поэ́тому там ма́ло истори́ческих па́мятников, ста́рых домо́в...

Пе́тя. В Бе́лом Ка́мне в це́нтре села́ ста́рая бе́лая це́рковь, напро́тив шко́лы.

Ната́ша. Ну вот, а в э́том ура́льском городке́ почти́ все зда́ния совреме́нной архитекту́ры: и горсове́т, и библиоте́ка, и кинотеа́тр, и жилы́е дома́. Ску́чно! Но вокру́г — чуде́сные, ста́рые Ура́льские го́ры, леса́, озёра — и всё э́то совсе́м недалеко́.

Небольшо́й промы́шленный го́род на Ура́ле

Phrases to Learn (1)

1.

Ты живёшь Вы живёте	в го́роде и́ли в дере́вне?	Do you live in a town or a village?

2.

Где В како́м райо́не	нахо́дится располо́жен (а)	ваш го́род? ва́ша дере́вня?	Whereabouts In what area	is your	town? village?

3.

Како́й Кака́я	э́то	го́род/райо́н? дере́вня?	What sort of	town/area village	is it?

4.

Я живу́ в	ста́ром но́вом большо́м ма́леньком	го́роде	на	се́вере ю́ге восто́ке за́паде	А́нглии. Великобрита́нии. Сове́тского Сою́за
	краси́вой ти́хой ма́ленькой	дере́вне	в це́нтре		

I live in a(n)	old new big small	town	in the	north south east west	of	England. Great Britain. the Soviet Union.
	beautiful quiet small	village	in the middle			

5.

Мой го́род Моя́ дере́вня	нахо́дится в	краси́вом интере́сном промы́шленном живопи́сном	райо́не на берегу́	реки́. мо́ря.

My town My village	is in a(n)	beautiful interesting industrial picturesque	area by	a river. the sea.

6.

Э́то	интере́сный/ску́чный истори́ческий/совреме́нный чи́стый/гря́зный индустриа́льный/сельскохозя́йственный	го́род. райо́н. порт. куро́рт.

It is an	interesting/boring historical/modern clean/dirty industrial/rural (agricultural)	town. region/district/area. port. holiday resort.

7.

В го́роде	мно́го не́сколько немно́го ма́ло нет (никаки́х)	хоро́ших совреме́нных стари́нных	(кино́) теа́тров. магази́нов. па́рков. зда́ний. достопримеча́тельностей.

The town has	many several not many very few no	good modern old	cinemas/theatres. shops. parks. buildings. (tourist) 'sights'.

8.

У нас в це́нтре	го́рода — дере́вни —	собо́р/больша́я це́рковь. стадио́н. бассе́йн/библиоте́ка. зда́ние городско́го сове́та. па́мятник поги́бшим на войне́.

In the	town centre centre of the village	there is a/the	cathedral/big church. football stadium. swimming pool/library. town hall. war memorial.

9.

За го́родом Недалеко́ от го́рода	(есть)	лес/о́зеро. мо́ре/пляж/го́ры.

Outside the town Not far from the town	there is/are	woods/a lake. the sea/a beach/mountains.

Work together in small groups (of 3 or 4) and see which group can make the most sentences about your town or area in 10 minutes, using the models on these two pages.

Exercise 1

Listen on the tape to the descriptions of nine Ukrainian cities. You will hear one word describing the sort of town it is, and then the part of the Ukraine it is in (i. e. north, south, north-east, south-west, etc.). Draw a grid like the one below, but a bit bigger, and write the name of each town and its description in the appropriate box (e. g., if you think there is a modern town called Krasnograd in the north-west, write "Krasnograd, modern" in the top left-hand box). Don't worry about spelling the names correctly!

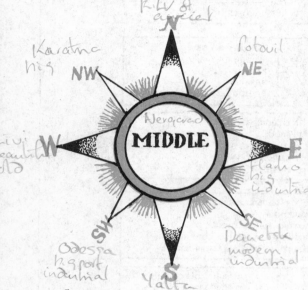

If you want more practice of the points of the compass, try playing "Noughts and Crosses" with your partner, using a sheet of paper each and not looking at each other's sheet. You have to tell your partner where to put your nought or cross using the compass points, as in the grid above! (So, for instance, **се́веро-за́пад, центр, ю́го-восто́к** would make a diagonal line.)
(The Russian for "Noughts and Crosses" is **«Кре́стики и но́лики»**: a **кре́стик** is a cross and a **но́лик** is a nought.)

Exercise 2. «Я рекоменду́ю...»

Four British tourists have been offered the chance to stay in various Soviet towns and villages. They have noted their particular interests and requirements below. Listen to the descriptions of the four places on the tape, Mariupol, Vladimir, Zelenogorsk, and Beryozovka, and decide which would be best suited to which person, and why. (If there's not an ideal place, you may have to reach a compromise!)

Mr. W: is keen on fishing, and interested in history and art.
Miss X: likes swimming, preferably in the sea.
Mrs. Y: likes mountain walking.
Mr. Z: wants to get away from towns, but likes some entertainment in the evenings. Still recovering from a recent illness.

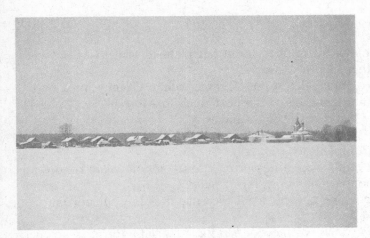

Ру́сское село́ на Ура́ле

*Го́род Мариу́поль.
Центра́льный парк*

**Небольшо́й куро́ртный
городо́к на Балти́йском мо́ре**

*Стари́нный ру́сский го́род
Влади́мир*

Dialogue 2

Petya's father is phoning his mother about her planned visit to Moscow...
1. What is the weather like in Moscow?
2. And what is the weather like in the Ukraine, where Granny lives?
3. What is the weather forecast for the next week in Moscow?
4. How will Granny travel to Moscow and why?

Отéц. Аллó! Мáма? Здрáвствуй! Ну как вы там?

Бáбушка. Спасúбо, сынóк, всё в порядке. Жúвы-здорóвы, как говорúтся.

Отéц. Мáма, ты собирáешься приéхать к нам?

Бáбушка. Да, обязáтельно приéду, в воскресéнье. Какáя у вас погóда? Хо-
лóдно?

Отéц. Прекрáсная погóда — сóлнечно, лёгкий морóзец по утрáм, но снéга
ещё нé было.

Бáбушка. Удивúтельно! А у нас тумáн, дождь со снéгом. Вот ведь как: на
сéвере ещё óсень, а на Украúне ужé зимá. Говорят, что это всё из-за косми-
ческих кораблéй.

Отéц. Чепухá! По-мóему, обычная осéнняя погóда. Но прошý тебя всё же
одéться потеплéе. На бýдущей недéле в Москвé обещáют снег. Да и се-
гóдня ýтром было мúнус пять. Кстáти, ты не передýмала éхать пóездом?
Не хóчешь летéть самолётом?

Бáбушка. Нет, нет. Всё-таки плохáя погóда, тумáн... Пóездом лýчше.
Встречáйте, пожáлуйста, в воскресéнье!

Phrases to Learn (2)

1.

Кака́я сего́дня пого́да?	What is the weather like?
Кака́я была́ пого́да?	What was the weather like?
Кака́я бу́дет пого́да?	What will the weather be like?

(Была́) хоро́шая/прекра́сная (Бу́дет) плоха́я/ужа́сная	пого́да.	The weather	is was/will be	good/splendid. bad/awful.

Бы́ло/бу́дет жа́рко/тепло́/хо́лодно.	It is (was/will be) hot/warm/cold.

Све́тит со́лнце. /Со́лнечно. Идёт до́ждь. /Дождли́во. Идёт снег. Ду́ет ве́тер. /Ве́трено. Тума́н. /Тума́нно. Моро́з. /Моро́зно.	It is	sunny. raining. snowing. windy. foggy/misty. freezing/icy.

Бы́ло/бу́дет со́лнце.
Был/бу́дет дождь/снег/ве́тер/тума́н/моро́з.

It was/will be sunny.
It was/will be raining/snowing/windy/foggy/freezing.

Шёл дождь/снег.	It	rained/snowed. was raining/snowing.

2.

Кака́я температу́ра сего́дня/сейча́с (на у́лице)?

What temperature is it today/at the moment (outside)?

Сего́дня плюс/ми́нус	оди́н гра́дус.
	два гра́дуса.
	пять гра́дусов.

The temperature today is (plus/minus) 1/2/5 degrees.

3.

Кака́я	была́ бу́дет	температу́ра	у́тром/днём? ве́чером/но́чью?

What temperature	was it will it be	in the	morning/afternoon. evening/night.

У́тром Но́чью	бы́ло бу́дет	де́сять гра́дусов	тепла́. моро́за.

In the	morning night	it	was will be	10 degrees	above zero. below zero.

4.

Кака́я пого́да быва́ет	на се́вере на ю́ге	СССР Великобрита́нии	весно́й? ле́том? о́сенью? зимо́й?
	в Москве́ в вашем райо́не		

What is the weather like in	the north the south	of the USSR of Gt Britain	in Spring? in Summer?
	Moscow your area		in Autumn? in Winter?

В А́нглии В Москве́ В на́шем райо́не	весно́й ле́том о́сенью зимо́й	всегда́ обы́чно иногда́ (о́чень) ча́сто (о́чень) ре́дко	жа́рко/тепло́/хо́лодно.
			быва́ет — дождь. снег. моро́з. тума́н. со́лнце.

In England In Moscow In our area	in Spring in Summer in Autumn in Winter	it is	always usually	hot/warm/cold.
		it	sometimes (very) often (very) rarely	rains. snows. freezes.
		it is		foggy. sunny.

Exercise 3

Discuss the weather across Europe with a partner or in groups.
Take it in turns to ask questions about the past, present and future, like:
Кака́я сего́дня пого́да на се́вере СССР?
Кака́я пого́да была́ вчера́ в Гре́ции?
Кака́я бу́дет пого́да за́втра на восто́ке Испа́нии?
Кака́я пого́да ожида́ется на сле́дующей неде́ле в Ирла́ндии? И т. д.

Can you locate the following countries? **Гре́ция, Испа́ния, Ита́лия, Герма́ния, Брита́ния, Ирла́ндия, По́льша, СССР, Фра́нция.**
(And if not, can you ask someone — in Russian! — where they are?)

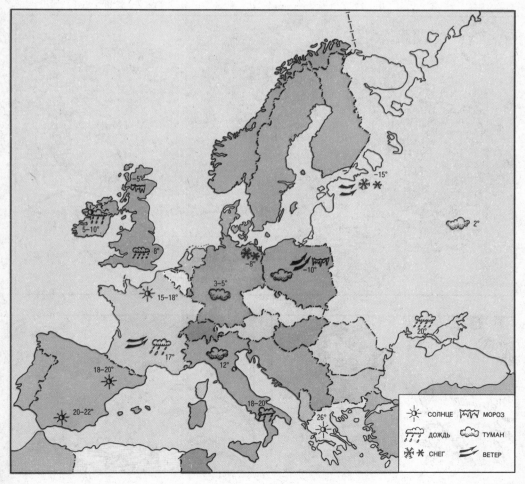

Exercise 4. Прогно́з пого́ды

Draw a "Noughts and Crosses" grid again, marked NW, N, NE, etc. (as in exercise 1), then listen to the weather forecast (прогно́з пого́ды) and fill in as many details as you can about tomorrow's weather in each area of the country.

As well as the "simple" weather words, listen for some of the following typical weather forecast words:

ожида́ется is expected
кратковре́менный brief
изме́нчивый changeable
переме́нный variable
о́блачная cloudy

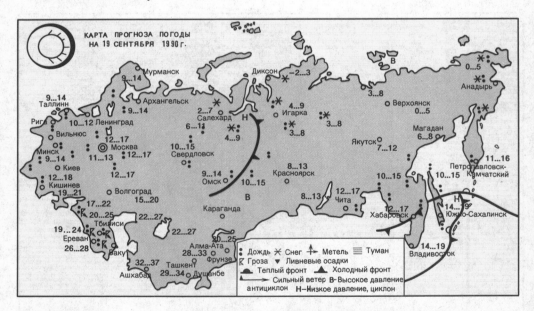

Exercise 5

Now try some weather forecasts from Soviet newspapers. You won't understand every word, but you should be able to pick out the main points.

ПРОГНОЗ НА НЕДЕЛЮ

Óблачно.

На предстоящей неделе ожидается:

В Мурманской, Архангельской областях временами осадки. Ночью минус 2—7, днем около нуля градусов.

В Ленинградской, Псковской, Новгородской областях временами осадки, порывистый ветер. Ночью 0—минус 5, днем около нуля градусов.

В Эстонии, Латвии временами небольшие осадки, в отдельные дни порывистый ветер. Ночью около 0, днем 0—плюс 5 градусов.

В Литве местами осадки. Ночью 0—плюс 5, днем 2—7 градусов тепла.

В Белоруссии местами осадки. Ночью минус 2—плюс 3, днем 1—6 градусов тепла.

На Украине преимущественно без осадков. Ночью минус 2—плюс 3, днем 1—6, на юге до 9 градусов тепла.

В Центральном районе временами небольшие осадки. Ночью 0—минус 5, днем около нуля градусов.

В Поволжье местами небольшие осадки. Ночью минус 1—6, днем плюс 2—минус 3 градуса.

На Северном Кавказе преимущественно без осадков. Ночью около 0, днем плюс 2—7 градусов.

В Закавказье преимущественно без осадков. Ночью 0—минус 6, днем 3—8 градусов тепла.

На Среднем и Южном Урале местами снег. Ночью 5—10, днем 1—6 градусов мороза.

В Казахстане местами осадки. Ночью минус 9—14, днем минус 1—6 градусов, на юге ночью минус 3—8, днем плюс 2—7 градусов.

В Средней Азии местами осадки. Ночью минус 2—7, днем 3—8 градусов тепла.

На юге Западной Сибири местами снег. Ночью 10—15, при прояснениях до 20 мороза, днем минус 6—11 градусов.

В Приморье местами снег. Ночью минус 16—21, местами до 28, днем 13—18 градусов мороза.

На Сахалине преимущественно без осадков. Ночью 22—27, днем 19—24, на юге 12—17 градусов мороза.

На Камчатке небольшой снег, метель. Ночью 5—10, днем 0—5 градусов мороза, местами ночью до 15—20, днем 10—15 градусов мороза.

В Якутии местами небольшой снег. Ночью 46—51, днем 41—46 градусов мороза.

В Ленинграде временами небольшие осадки, порывистый ветер. Преобладающая температура ночью и днем около нуля градусов.

В Москве и области временами небольшие осадки, преобладающая температура ночью 0—минус 5, днем около нуля градусов.

Переме́нная о́блачность.

Дождь.

Снег.

ГИДРОМЕТЦЕНТР СССР

Сильный ве́тер.

77

Письмо́ от Сáлли

Read Sally's latest letter and see if you can find three things she likes about living in Sheffield, and three things she dislikes.

Write a similar letter about your town, village, or area.

115 Longley Lane,
Sheffield
5 декабря

Здравствуй, Петя!

Ты спрашивал меня о Шеффилде. Это большой промышленный город на севере Англии, один из самых больших городов Великобритании. Он находится в Южном Йоркшире. Шеффилд известен как промышленный центр. Здесь было много больших заводов, но, к сожалению, многие из них закрыты.

Шеффилд сейчас культурный центр — у нас есть хороший театр, несколько кинотеатров, музеев и картинных галерей и два больших стадиона (потому что у нас две профессиональные футбольные команды!). В Шеффилде есть также университет и политехнический институт.

Центр города, по-моему, не очень красивый. Почти все здания современные. А недалеко от города есть красивые места. К северу и востоку от города — промышленные районы, а к западу и юго-западу находится очень красивый район, который называется Пик Дистрикт. Это национальный парк. Природа там прекрасная. Там красивые горы и реки и маленькие старые деревни. Мы часто отдыхаем там в субботу или воскресенье.

На севере Англии климат не очень хороший — зимой не очень холодно, а летом не очень тепло! А дождь бывает всегда! Зимой иногда бывает мороз, особенно ночью, а снег идёт только два или три раза в год. Часто дует сильный и холодный ветер, особенно в горах. Температура зимой от -3 до $+10$ градусов, а летом - от $+15$ до $+25$ градусов.

Моё любимое время года - весна. Весной погода обычно изменчивая - солнечные дни и кратковременный дождь, но природа очень красивая в это время!

Мне очень нравится жить в Шеффилде.

До свидания.
Салли.

Vocabulary

BASIC

бе́лый white
бе́рег bank
вода́ water
вокру́г around
восто́к East
гора́ mountain
гря́зный dirty
дере́вня village/countryside
за́ город/за́ городом outside the town
за́пад West
здоро́вье health
интере́сный interesting
краси́вый beautiful
лес forest
люби́мый favourite
ме́сто place
молодо́й young
мо́ре sea
называ́ться to be called
находи́ться to be situated
но́вый new
пляж beach
порт port
райо́н region
река́ river
се́вер North
село́ village
ста́рый old
ти́хий quiet
Украи́на the Ukraine
у́лица street
Ура́л/Ура́льские го́ры The Urals/Ural mountains

центр centre
чи́стый clean
шу́мный noisy
юг South

бассе́йн swimming pool
библиоте́ка library
вокза́л station
дом house
Дом культу́ры 'House of Culture'
дом о́тдыха Rest home
достопримеча́тельности sights
заво́д factory
зда́ние building
институ́т college
карти́нная галере́я art gallery
кино́/кинотеа́тр cinema/cinema hall
колхо́з collective farm
магази́н shop
музе́й museum
парк park
стадио́н stadium
теа́тр theatre
университе́т university
шко́ла school

быва́ть to happen/be
весна́ Spring
весно́й in Spring
ве́тер wind
вре́мя го́да season
гра́дус degree

дождь rain; идёт дождь it's raining
дуть/поду́ть to blow; ду́ет ве́тер it's windy
жа́рко (it's) hot
зима́ Winter
зимо́й in Winter
кли́мат climate
ле́то Summer
ле́том in Summer
ми́нус minus
моро́з/моро́зец a (slight) frost
осе́нний Autumn(al) (adj.)
о́сень Autumn
о́сенью in Autumn
плюс plus
пого́да weather
свети́ть to shine
снег snow; идёт снег it's snowing
со́лнце sun
температу́ра temperature
тепло́ (it's) warm
тума́н fog
хо́лодно (it's) cold

встреча́ть to meet
гуля́ть/погуля́ть to go for a walk
закры́т closed
кома́нда team
купа́ться to go swimming
одева́ться/оде́ться to get dressed

79

отдыха́ть/отдохну́ть to relax
откры́тка postcard
письмо́ letter
по́езд train
посыла́ть to send

приезжа́ть/прие́хать to arrive/come (by transport)
проси́ть/попроси́ть to ask/request; прошу́ тебя́/вас... Please...

самолёт aeroplane
сле́дующий next
спра́шивать/спроси́ть to ask (a question)

HIGHER

бу́дущий next/future
вид view
ви́ден/видна́/ви́дно visible
во́здух air
война́ war
горсове́т (городско́й сове́т) town hall
живопи́сный picturesque
индустриа́льный industrial
истори́ческий historic
куро́рт resort
о́зеро lake
па́мятник monument
поэ́тому so/therefore
приро́да nature
промы́шленный industrial
сельскохозя́йственный agricultural/rural
ску́чный boring
собо́р cathedral
совреме́нный contemporary

стари́нный ancient
це́рковь church
чуде́сный marvellous/wonderful
ве́треный windy
возмо́жен/возмо́жна possible
всё-таки nevertheless
гроза́ thunderstorm
дождли́вый rainy
изме́нчивый changeable
косми́ческий кора́бль spaceship
кратковре́менный brief
лёгкий light/slight
лета́ть to fly
лете́ть/полете́ть to fly
моро́зный frosty
напро́тив opposite
обеща́ть to promise
о́блако cloud

о́блачность 'cloudiness'
о́блачный cloudy
ожида́ться to expect
осо́бенно especially
переме́нный changeable
переходя́щий changing (to)
полови́на half
прогно́з forecast
си́льный strong
сла́бый weak
собира́ться to intend to/plan to
совсе́м quite/completely
со́лнечный sunny
сухо́й dry
тума́нный foggy
ужа́сный terrible/awful
усиле́ние strengthening/increase
я́сный clear

EXTRA

архитекту́ра architecture
всё в поря́дке everything's all right
жив-здоро́в alive and well
жило́й дом block of flats
как говори́тся as they say

переду́мать to change one's mind
поги́бший (war) dead
политехни́ческий polytechnic
потепле́е more warmly/warmer
санато́рий sanatorium

точне́е to be precise
удиви́тельно amazing
чепуха́! rubbish!
ша́хта coalmine/colliery
шашлы́к kebab

Dialogue 1

1. He's got to meet Granny at the station.
2. Her village is in the West Ukraine, not far from Lvov. It's big and beautiful, called 'White Stone', and is in a very picturesque place on the bank of a small river. You can see the Carpathian mountains from there.
3. In a small town in the Urals.
4. It's industrial and modern.
5. Forests and lakes.

Dialogue 2

1. Fine weather: sunny, light frost in the morning, no snow.
2. Fog, rain with snow.
3. Snow.
4. By train because it's better in bad weather.

Exercise 1

NW: Romanovka, big village.
N: Kiev, an old city.
NE: Putivl, regional centre.
W: Lvov, an old beautiful city.
Middle: Mirgorod, small resort city.
E: Kharkov, big, industrial city.
SW: Odessa, big port and industrial city.
S: Yalta, a beautiful resort in the Crimea.
SE: Donetsk, a modern industrial city.

Exercise 2

Mr. W.: Vladimir.
Miss X.: Mariupol (or possibly Zelenogorsk).
Mrs. Y.: Beryozovka.
Mr. Z.: Zelenogorsk (or possibly Beryozovka).

Exercise 4

NW — fog in morning; possibly rainy periods in afternoon	**N** — sunny; but severe frost ($-30°$) in evening	**NE** — slight snow; sunny; afternoon: $-10°$; night: $-18°$
W — foggy; thick cloud with occasional light showers	**C** — before mid-day rain changing to snow; day time around $0°$, falling to $-7°$ at night	**E** — clear cold weather; more cloudy in evening
SW — cloudy; strong winds possible by evening	**S** — warm and dry; light clouds	**SE** — rainy and windy; possibly thunder towards evening

Письмо́ от Са́лли

Likes
cultural centre
theatres, museums, galleries
two football teams (?)
university and polytechnic
beautiful countryside (Peak
    District) not far away
weather and nature in Spring

Dislikes
city centre not beautiful
too many modern buildings
    the weather!
(industry closing down)
(two football teams!?)

6—1648

Unit 5

Как пройти...?

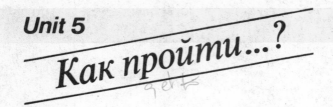

Dialogue 1

Petya and Alyosha are waiting at the bus-stop at the beginning of Pushkin Street when they are approached by several people, who ask the way. Listen to the dialogues and for each one try to answer the following questions:

1. Where does the person want to go?
2. What directions are they given?
3. How far is it?

A **Прохо́жий.** Извини́те, где нахо́дится гости́ница «Интури́ст»?

Пе́тя. На Тверско́й у́лице.

Прохо́жий. Как мне пройти́ к гости́нице?

Пе́тя. Иди́те пря́мо, пото́м напра́во и опя́ть напра́во. Гости́ница сле́ва, напро́тив магази́на «Пода́рки».

Прохо́жий. Э́то далеко́?

Пе́тя. Нет, недалеко́, ме́тров три́ста.

B **Прохо́жий.** Прости́те, где здесь апте́ка?

Алёша. Есть апте́ка на Петро́вке.

Прохо́жий. Как мне туда́ попа́сть?

Алёша. Поверни́те нале́во, пройди́те ми́мо Большо́го теа́тра, поверни́те нале́во и иди́те пря́мо по у́лице. Апте́ка бу́дет сле́ва.

Прохо́жий. Спаси́бо, э́то далеко́?

Алёша. Нет, бли́зко, ме́тров восемьсо́т.

C **Прохо́жий.** Извини́те, вы не ска́жете, где нахо́дится па́мятник Пу́шкину?

Пе́тя. На Пу́шкинской пло́щади.

Прохо́жий. А как мне пройти́ к па́мятнику?

Петя. Иди́те пря́мо, пото́м нале́во. Па́мятник пе́ред кинотеа́тром «Росси́я».

Прохо́жий. Спаси́бо. Э́то далеко́?

Пе́тя. Нет, не о́чень.

D Прохо́жий. Прости́те, молодо́й челове́к, вы не зна́ете, где Литерату́рный музе́й?

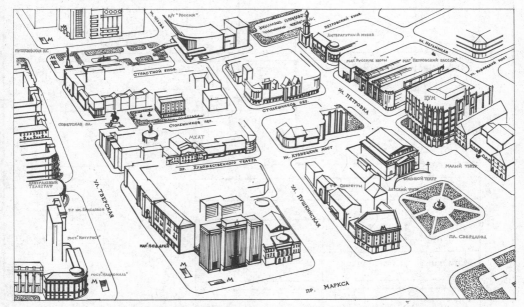

Алёша. Э́то на Петро́вке.

Прохо́жий. Как мне пройти́ к музе́ю?

Алёша. Иди́те пря́мо по пло́щади Свердло́ва, пото́м нале́во, опя́ть пря́мо, и музе́й бу́дет спра́ва, на углу́.

Прохо́жий. Э́то далеко́?

Алёша. Не о́чень.

Questions and Answers to Learn (1)

1.

Извини́те, Прости́те,	скажи́те, пожа́луйста, вы не ска́жете, вы не зна́ете,	где	(здесь) (нахо́дится)		гастроно́м? апте́ка?
			(нахо́дятся)		магази́ны?
		как мне	пройти́ попа́сть		в гастроно́м? в апте́ку? на стадио́н? на по́чту? к гастроно́му/стадио́ну? к апте́ке/по́чте?

Excuse me,	can you tell me do you know	where there is	a food shop a chemist's	(around here)?
		where there are some shops		
		how to get to	the food shop? the chemist's? the stadium? the post office?	

2.

Э́то далеко́/бли́зко?	Is it far/near?

1.

Апте́ка Гастроно́м	(нахо́дится)	сле́ва. спра́ва. напро́тив стадио́на. ря́дом с рестора́ном. на углу́/за угло́м.
Магази́ны	(нахо́дятся)	

The chemist's is The food shop is The shops are	on the left. on the right. opposite the stadium. next to the restaurant. on the corner/around the corner.

Иди́те	пря́мо нале́во	по	(э́той) у́лице	пото́м напра́во.
	напра́во		(э́тому) проспе́кту	и опя́ть напра́во.

Go	straight on to the right to the left	along	the (this) street the (this) avenue	and then right. and right again.

2.

Да,	далеко́, киломе́тра два.	Yes,	it's far, about 2 kilometres.
Нет,	недалеко́, ме́тров две́сти. бли́зко, пять мину́т пешко́м.	No,	it's not far, about 200 metres. it's near, 5 minutes on foot.

Exercise 1

Imagine you are standing at the bus-stop on Pushkin Street and a passer-by asks you directions. Practise the following dialogue with your partner, taking it in turns to be the passer-by. Use the map on pp. 83, 88.

Прохо́жий. Извини́те, пожа́луйста, где здесь магази́н «Пода́рки»?
You. ... .
Прохо́жий. Как мне попа́сть в магази́н?
You. ... .
Прохо́жий. Э́то далеко́?
You. ... .

Now make up some more dialogues where the passer-by wants to go to:
1. Большо́й теа́тр.
2. Центра́льный телегра́ф.
3. Гастроно́м.
4. Ресторан «Москва́».

Exercise 2

1. Petya's mother wants Petya to meet her not far from their new flat. She leaves this note on the table for him with directions. Can you work out where they meet? Look at the map on page 85 and don't forget that you start in front of Petya's block of flats (**Пу́шкинская у́лица, дом 10**).

Иди направо по Пушкинской улице, потом направо по проспекту Маркса, потом иди направо по Тверской улице. Справа, рядом с гастрономом...

2. The next day Maria Antonovna leaves a note for Zoya—where will they meet?

Иди налево по Пушкинской улице, потом налево по Страстному бульвару. Справа увидишь...

3. A few days later Petya's father is explaining to Petya where they should meet after school. Listen to the tape, look at the map and work out where they will meet.

4. The next day Zoya receives the following instructions from her father. Listen to the tape again to work out where they will meet.

Exercise 3. Куда́ вы хоти́те пойти́?

Here are the signs which you would find on the buildings on the map on page 88. Look at them and see if you can work out which places they are for and if you can understand the other information they give. Then decide which of them you would like to visit and make up a dialogue with your partner to find the way there. One of you is a stranger standing outside the metro on Sverdlov Square, the other a local passer-by who can tell you the way!

Dialogue 2

Evening at Petya's house, the telephone rings...
1. What is Petya doing when Natasha phones?
2. Where are all the schoolfriends going?
3. Where will Natasha meet Petya?
4. What directions does Natasha give Petya to get to their meeting place?
5. When will Natasha and Petya meet?

Ната́ша. Алло́, прости́те, Пе́тю мо́жно к телефо́ну?

Пе́тя. Э́то я. Приве́т, Ната́ша, как дела́?

Ната́ша. Хорошо́. Слу́шай, Пе́тя, ты за́нят? *busy*

Пе́тя. Нет, не о́чень. Я смотрю́ телеви́зор.

Ната́ша. Ну вот, я же говори́ла, что ты лентя́й. Хо́чешь пойти́ в кафе́ со мной и с ребя́тами из на́шего кла́сса?

Пе́тя. Коне́чно. Где нахо́дится кафе́?

Ната́ша. У метро́ «Кропо́ткинская». Но я могу́ встре́титься с тобо́й на углу́ Пу́шкинской, ря́дом со ста́нцией метро́.

Пе́тя. С како́й ста́нцией метро́? «Проспе́кт Ма́ркса» и́ли «Че́ховская»?

Ната́ша. Иди́ вниз по Пу́шкинской у́лице к проспе́кту Ма́ркса. Хорошо́? Встре́тимся в семь часо́в.

Пе́тя. Ла́дно, до встре́чи...

Dialogue 3

Now listen to some slightly more complicated sets of directions, this time around Red Square. Petya and Alyosha are standing outside GUM, looking across at the Mausoleum and the Kremlin (* on the map), when various visitors to Moscow ask them for directions. Try following the directions for yourself on the map.

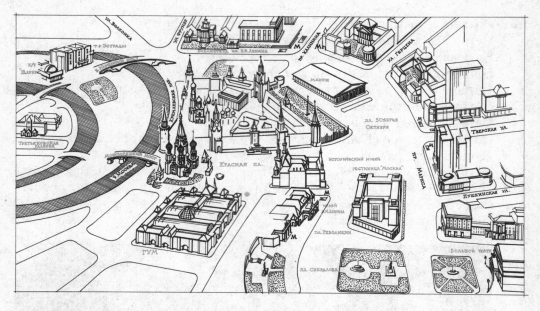

А Прохо́жий. Извини́те, пожа́луйста, вы не ска́жете, где Тверска́я у́лица?

Алёша. Иди́те напра́во, ми́мо Истори́ческого музе́я до пло́щади 50-ле́тия Октября́. Там вы уви́дите подзе́мный перехо́д. Перейди́те пло́щадь по перехо́ду, и вы вы́йдете на Тверску́ю у́лицу.

Прохо́жий. Э́то далеко́?

Алёша. Нет, ме́тров две́сти.

Прохо́жий. Спаси́бо большо́е.

Алёша. Не́ за что.

В Прохо́жий. Прости́те, вы не ска́жете, как пройти́ к Третьяко́вской галере́е?

Пе́тя. Иди́те че́рез Кра́сную пло́щадь к собо́ру Васи́лия Блаже́нного. Пройди́те ми́мо собо́ра пря́мо к мосту́. Перейди́те два моста́ и поверни́те напра́во. Иди́те по на́бережной, и в переу́лке сле́ва вы уви́дите Третьяко́вскую галере́ю.

Прохо́жий. Спаси́бо.

Пе́тя. Пожа́луйста.

С Прохо́жий. Скажи́те, пожа́луйста, вы не зна́ете, где нахо́дится у́лица Ге́рцена?

Алёша. Иди́те ми́мо Истори́ческого музе́я и пото́м поверни́те нале́во. Иди́те пря́мо до Мане́жа и там перейди́те у́лицу по перехо́ду, и вы уви́дите пе́ред собо́й у́лицу Ге́рцена.

Прохо́жий. Спаси́бо большо́е.

Алёша. Не́ за что.

Phrases to Learn (2)

1.

Иди́те	пря́мо	до светофо́ра. до конца́ у́лицы.
Дойди́те		до пло́щади.

Go straight on	up to the traffic lights. to the end of the road. as far as the square.

2.

Иди́те Пройди́те	ми́мо	па́мятника. по́чты.

Go past	the monument. the post-office.

3.

Иди́те че́рез Перейди́те (че́рез)	мост. у́лицу.

Go across Cross (over)	the bridge. the road.

4.

Поверни́те по	пе́рвой у́лице второ́й улице	нале́во. напра́во.

Take	the first street the second street	on the left. on the right.

5.

Иди́те по у́лице к	па́мятнику. реке́.

Go along the street towards	the monument. the river.

6.

Вы уви́дите	остано́вку сле́ва. кинотеа́тр спра́ва. кафе́ пе́ред по́чтой. парк за собо́ром. по́чту пе́ред собо́й.

You will see	the bus-stop on the left. the cinema on the right. the cafe in front of the P. O. the park behind the cathedral. the P. O. in front of you.

How to make sure your journey has a happy ending!

All the different endings used with these 'direction' words can be a bit confusing!
Below is a summary of the main ones. (Don't worry too much, though, if you
don't get them all absolutely right all the time. You'll still be understood!)

до + Genitive = as far as   e. g. до светофо́ра
ми́мо + Genitive = past   ми́мо гости́ницы

по + Dative = along   e. g. по проспе́кту/у́лице
к + Dative = towards/up to   к теа́тру/реке́

в/на + Accusative = to   e. g. в парк/на пло́щадь
че́рез + Accusative = across/through   че́рез у́лицу

за + Instrumental = behind   e. g. за теа́тром
пе́ред + Instrumental = in front of   пе́ред по́чтой
ря́дом с + Instrumental = next to   ря́дом с гости́ницей

Phrases using prefixes with **иди́те**:
дойди́те до + Genitive = Go as far as...
пройди́те ми́мо + Genitive = Go past...
перейди́те че́рез + Accusative = Go across/over...
подойди́те к + Dative = Go up to/Approach...

Exercise 4

Look at the map on p. 88 again. Listen to four more sets of directions on the
tape, and read the four questions **A, B, C** and **D** below. Which set of directions leads to which destination? Match up the numbers and letters. (Start
from * as before.)

A. Как мне пройти́ к Большо́му теа́тру?
B. Как мне попа́сть в Библиоте́ку и́мени Ле́нина?
C. Как мне попа́сть в Теа́тр эстра́ды?
D. Как мне пройти́ на проспе́кт Кали́нина?

Exercise 5

Now work with a partner and try making up your own directions. Choose
a place on the map, tell your partner the directions to it, and see if he/she can
follow them and tell you the place you thought of. You can change the starting point if you like, by saying, for instance, **Вы ря́дом с бассе́йном
«Москва́»** (You're at the *Moskva* swimming pool) or **Вы на проспе́кте Ка-
ли́нина** (You're on Kalinin Prospekt) before giving the directions.

Exercise 6. Куда́ идти́?

Here are signs, tickets and other realia connected with some of the famous places in the centre of Moscow, shown on the map on page 88. Can you work out which place each is connected with and what exactly it is?

Exercise 7. Шпионы в городе.

A. Here is a map of an unknown town. You are a spy who has just arrived in the town. You go to a telephone box and phone a secret number. You receive directions to some secret meeting place. Listen to the directions and work out where you will meet your contact by following the route on the map. In all you make five such telephone calls. In each case you start by the metro station facing the park (marked * on the map).

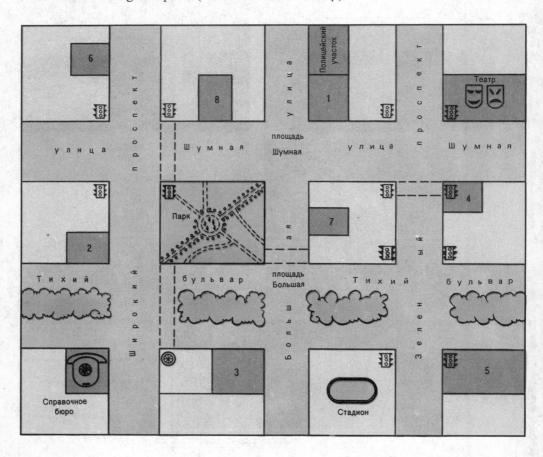

B. Now you have met your contact you must fill in the blanks on the map. (They are the numbered squares.) They are: a hospital, a chemist's, a cinema, a food store, a post-office, a restaurant, a department store, and a café. But which is which? You ask your contact — listen to the conversations and see if you can work it out!

Письмо́ от Са́лли

Read the letter and answer the following questions:

1. How far does Sally live from the centre of Sheffield?
2. Which shops are near her home?
3. How does she get to school?
4. What other amenities are close to her house?
5. Why is Sally too busy now to write a longer letter?
6. What plans has Sally got for next year?

Write a similar letter to a Russian penfriend about the area where you live!

115 Longley Lane,
Sheffield
14 декабря

Дорогой Петя!
Спасибо за письмо и за информацию о районе, где ты живёшь. Как хорошо жить в центре: магазины, театры, кино и кафе недалеко! А я живу довольно далеко от центра Шеффилда. Недалеко от моего дома только маленькие магазины и ещё почта и аптека. Все универмаги и кинотеатра — в центре Шеффилда. Моя школа тоже довольно далеко — надо ездить туда на автобусе. Но я живу очень близко — всего метров 200 от парка. В парке — музей и кафе. В Шеффилде нет метро.

Я могу ещё много рассказывать о Шеффилде, но у меня нет времени. Мы уже готовимся к Рождеству и к Новому году. Мы с папой сейчас идём покупать ёлку, а потом мне надо помочь маме.

Спасибо за открытки с видами Москвы. Это очень красивый город! В августе следующего года я приеду в Москву с группой школьников. Я надеюсь встретиться с тобой! Жду письма!
Всего хорошего!
С Рождеством!
С Новым годом!
Салли.

Vocabulary .

BASIC

апте́ка chemist's
бассе́йн swimming pool
больни́ца hospital
бульва́р avenue
вниз down
гастроно́м grocer's
гости́ница hotel
ГУМ GUM (State Department Store)
доро́га road
зда́ние building
ка́рта map
кафе́ café
кафе́-моро́женое ice-cream café
киломе́тр kilometre
кинотеа́тр cinema
краси́вый beautiful
Кра́сная пло́щадь Red Square
Кремль the Kremlin
мавзоле́й mausoleum
магази́н shop
метр metre
метро́ underground/metro/tube
мост bridge
музе́й museum
нале́во left
напра́во right

но́вый new
остано́вка (bus) stop
парк park
перехо́д pedestrian crossing
план plan/street map
пло́щадь square
по́чта post office
проспе́кт avenue
пря́мо straight on
райо́н region/district
река́ river
рестора́н restaurant
сад garden
светофо́р traffic lights
сле́ва on the left
спра́ва on the right
спра́вочное бюро́ information office
стадио́н stadium
ста́нция (метро́) (metro) station
теа́тр theatre
у́гол corner
у́лица street
универма́г department store
центр centre

ви́деть/уви́деть to see
вре́мя time

вы́йти из... to leave/go out...
гру́ппа group
дойти́ до... to go as far as...
дорого́й dear
друго́й other
за́нят busy/occupied
идти́ по... to go along...
находи́ться to be situated
Но́вый год New Year
откры́тка postcard
перейти́ (че́рез) to cross/go across
пешко́м on foot
пода́рок present
пое́здка trip
покупа́ть to buy
помога́ть/помо́чь to help
попа́сть to get to
приезжа́ть/прие́хать to arrive/come (by transport)
пройти́ to get to
пройти́ ми́мо to pass/go past
расска́зывать/рассказа́ть to tell
ребя́та kids/mates
Рождество́ Christmas
слу́шать to listen to
уви́деть to see

HIGHER

алло́ hello
вид view
гото́виться to prepare for
дово́льно fairly/quite
наде́яться to hope

найти́ to find
па́мятник monument
повора́чивать/поверну́ть to turn
подзе́мный underground (adj.)

прохо́жий passer-by
свора́чивать/сверну́ть to turn
сле́дующий next/following
собо́р cathedral

EXTRA

ёлка Christmas tree
лентя́й lazybones
Мане́ж The Manege (now an exhibition hall)
на́бережная embankment

не́ за что don't mention it
собо́р Васи́лия Блаже́нного St. Basil's Cathedral
Теа́тр эстра́ды Variety Theatre
Третьяко́вская галере́я Tretyakov Gallery
Центра́льный телегра́ф Head Post Office
шоссе́ highway
шпио́н spy

Dialogue 1

A. 1. The Intourist hotel. 2. Go straight on, right and right again. It's on the left opposite the souvenir shop. 3. About 300 metres.
B. 1. The chemist's. 2. Turn left, go past Bolshoi, turn left and straight. It's on the left. 3. About 800 metres.
C. 1. The Pushkin Monument. 2. Go straight on, then left and it's in front of the cinema in the gardens. 3. About 400 metres.
D. 1. The Literary Museum. 2. Go straight on, then left, then straight on. The museum is on the right on the corner. 3. Not very far.

Exercise 2

1. Ice-cream café. 2. Cinema. 3. Department store. 4. The hospital.

Dialogue 2

1. He's watching television.
2. To a café.
3. On the corner of Pushkin Street by the metro station.
4. Go down Pushkin Street towards Marx Prospect.
5. At seven o'clock.

Exercise 4

A-4, B-2, C-1, D-3.

Exercise 7

A. The 5 meeting places:
1. The theatre. 2. The stadium. 3. The information office. 4. The police office. 5. The park.
B. The secret locations:
I — 6 (Hospital)
II — 7 (Food store)
III — 5 (Department store)
IV — 4 (Restaurant)
V — 1 (Café)
VI — 3 (Post office)
VII — 8 (Chemist's)
VIII — 2 (Cinema)

Письмо́ от Са́лли

1. About 3 kilometres.
2. A post office, chemist's, and food shop.
3. By bus.
4. A park with museum and café.
5. She and her family are getting ready for Christmas and New Year. She is about to go with her father to buy a Christmas tree and then she must help her mother.
6. She will come to Moscow on a school trip. She hopes to meet Petya.

Unit 6
Счастливого пути !

Dialogue 1

Petya is asking Alyosha about the best way to get to Moscow University...
1. What are the two ways Petya could go to the university?
2. Which is the quickest way?
3. What advantage does «Проспе́кт Ма́ркса» station have over «Пу́шкинская»?

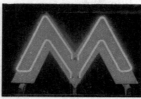

Пе́тя. Алёша, как мне дое́хать до университе́та?

Алёша. Тебе́ лу́чше пое́хать на метро́ и́ли мо́жно сесть на авто́бус но́мер 111. Э́тот авто́бус дойдёт до университе́та.

Пе́тя. А как быстре́е?

Алёша. Коне́чно, на метро́ быстре́е, чем на авто́бусе.

Пе́тя. А мне на́до де́лать переса́дку?

Алёша. Да. Тебе́ на́до е́хать от ста́нции «Пу́шкинская» до ста́нции «Кузне́цкий мост», там сде́лать переса́дку на «Дзержи́нскую» и отту́да е́хать пря́мо до университе́та. И́ли мо́жно пройти́ пешко́м до ста́нции «Проспе́кт Ма́ркса». Отту́да мо́жно е́хать без переса́дки.

Пе́тя. Спаси́бо, Алёша.

Questions and Answers to Learn (1)

1.

Как мне	проéхать	в университéт? на стадиóн? в библиотéку?

Вам	лýчше нáдо	поéхать на автóбусе. поéхать автóбусом. сесть на автóбус.

How do I get to	the university? the stadium?

It's best to You have to	go on the bus. go by bus. get a bus.

2.

Как мóжно доéхать до	до университéта? стадиóна? библиотéки?

Мóжно éхать тудá на	метрó и́ли автóбусе. трамвáе. троллéйбусе. маршрýтном такси́.

How can I get to the	university? stadium? library?

You can go there by	metro or bus. tram. trolleybus. 'fixed route taxi'.

3.

Как быстрéе?	Быстрéе	автóбусом. трамвáем. на метрó.

На метрó быстрéе, чем на автóбусе.

Which is the quickest way?	It's quicker	by bus. by tram. by metro.

The metro is quicker than the bus.

4.

Мне нáдо дéлать пересáдку?

Нет, мóжно éхать без пересáдки. Да, вам нáдо дéлать пересáдку на кольцевýю ли́нию.

Do I need to change? (from one metro line to another or to another form of transport)

No, you can get there without changing. Yes, you need to change onto the Circle line.

5.

Э́тот	автóбус троллéйбус трамвáй	идёт на ýлицу Гóрького?

Да, идёт. Нет, не идёт. Да, он дойдёт до ýлицы Гóрького.

Does this	bus trolley-bus tram	go to Gorky St?

Yes, it does. No, it doesn't. Yes, it goes as far as Gorky St.

Городско́й тра́нспорт в СССР

There are many different types of public transport in the Soviet Union. Each city has buses, trolleybuses, and trams, taxis and also minibuses which run on set routes (called **маршру́тное такси́**). The big cities also have a metro. To travel by bus, tram, or trolleybus you pay 5 kopecks regardless of the distance. You can buy your book of 10 tickets **(кни́жечка)** either from a kiosk, or from the bus, trolleybus, and tram driver when the bus is stationary. Be sure to take heed of this sign:

When you are on the bus, trolleybus and tram, you must punch **(компос-ти́ровать)** your ticket in a special machine **(компо́стер)** to validate it for that journey.

If the bus (or trolleybus, or tram) is crowded people often pass their tickets along the bus to be punched. You might well be asked to pass a ticket along and if you are standing beside the **компо́стер** you will be kept busy!

To travel in a **маршру́тное такси́** you pay 15 kopecks regardless of distance and you give the money to the driver. Taxi fares do, however, vary according to how far you travel.

To travel on the metro you pay 5 kopecks for any distance. There is no need to buy a ticket as you just drop a 5 kopeck coin in the slot in the barrier before you descend the escalator. If you have no 5 kopeck coin don't worry! In the foyer of the station you will find several change (**размéн дéнег**) machines and also a **кácca** where you can change notes.

Buses, trolleybuses, and trams continue until about 1 a:m. The metro also closes at about this time so take heed of this notice:

Exercise 1

 A tourist in Moscow is staying in the Cosmos Hotel and is enquiring at the reception desk as to the best way to get to various places which he wants to visit. Listen to the tape and fill in the grid below. If he can get to place by a particular form of transport put a tick in the relevant box, if it's the quickest way put two ticks.

куда?	автóбусом	троллéйбусом	трамвáем	на метрó
В Кремль	✓	✓		✓
В парк «Сокóльники»		✓	✓	✓
В гостúницу «Украúна»	✓			✓✓
На проспéкт Калúнина				✓✓
К Остáнкинской телебáшне	✓✓		✓	✓	✓✓

Now use the completed grid with your partner to practise asking how you can travel to the different places and to find out which is the quickest way.

Exercise 2

The next day Petya wants to travel from the station «Пу́шкинская» to ВДНХ (the Exhibition of Economic Achievements). Alyosha explains to him again how to get there by metro. Look at the metro plan below and try to follow Alyosha's directions. (You can either read them or listen to them on the tape.) «На́до е́хать от ста́нции "Пу́шкинская" до ста́нции «Пло́щадь Ногина́», там де́лать переса́дку и отту́да е́хать пря́мо до ВДНХ».

Now explain to someone how to travel by metro along these routes, with the least number of changes:

1. From the station «Ку́рская» to the station «Соко́льники».
2. From the station «Комсомо́льская» to the station «Ле́нинский проспе́кт».
3. From the station «Электрозаво́дская» to the station «Парк культу́ры».
4. From the station «Аэропо́рт» to the station «Филёвский парк».

(Compare your directions with the versions on the tape.)

Dialogue 2

Petya is travelling to one of his new schoo-friend's house by bus.
1. Where is the bus-stop?
2. What else does Petya ask?
3. How much does a book of tickets cost?
4. Which stop should Petya get off the bus at?
5. What question does the second passenger ask Petya?

На у́лице

Пе́тя. Извини́те, пожа́луйста, где остано́вка шесто́го авто́буса?
Прохо́жий. Вон там, на углу́.
Пе́тя. А вы не зна́ете, где мо́жно купи́ть тало́ны на авто́бус?
Прохо́жий. Там, нале́во, в кио́ске.
Пе́тя. Спаси́бо большо́е.

У кио́ска

Пе́тя. Да́йте мне, пожа́луйста, тало́ны на авто́бус.
Продавщи́ца. Вот, пожа́луйста. С вас пятьдеся́т копе́ек.
Пе́тя. Спаси́бо.

В авто́бусе

Пе́тя. Извини́те, э́тот авто́бус идёт до у́лицы Ге́рцена?
1-й пассажи́р. Да, идёт.
Пе́тя. А где мне выходи́ть?
1-й пассажи́р. Че́рез четы́ре остано́вки... Переда́йте биле́т, пожа́луйста.
Пе́тя. Пожа́луйста.
2-й пассажи́р. Вы выхо́дите на сле́дующей?
Пе́тя. Нет, не выхожу́.
2-й пассажи́р. Разреши́те, пожа́луйста, пройти́.
Пе́тя. Пожа́луйста.
1-й пассажи́р. Молодо́й челове́к, вам на́до выходи́ть здесь.
Пе́тя. Спаси́бо большо́е, до свида́ния.

Questions and Answers to Learn (2)

1.

Где	(ближа́йшая)	автобусная троллейбусная трамвайная	остано́вка?
		ста́нция метро́? стоя́нка такси́?	
	остано́вка	автобуса но́мер два? трамвая но́мер 115?	
	ста́нция метро́ „Пло́щадь Револю́ции"?		

Нале́во, за угло́м.	
Óколо	теа́тра. апте́ки. магази́на.

Where is the	(nearest)	bus-stop? trolleybus-stop? tram stop? metro station? taxi rank?
	stop for	the No. 2 bus? the No. 115 tram?
	Revolution Square metro station?	

Round the corner to left.	
Not far from the	theatre. drugstore. shop.

2.

Да́йте мне, пожа́луйста, тало́ны на	автобус. троллейбус. трамвай.

Please may I have some	bus trolley-bus tram	tickets.

3.

Где мне на́до выходи́ть?	Вам на́до выходи́ть	здесь/на сле́дующей остано́вке. че́рез остано́вку. че́рез две/три/четы́ре остано́вки. че́рез пять/шесть... остано́вок.

Where should I get off?	You should get off	here/at the next stop. at the stop after next. in 2/3/4/5 stops.

4.

Вы выхо́дите на сле́дующей?	Да, выхожу́. Нет, не выхожу́.

Are you getting off at the next stop?	Yes, I am. No, I'm not.

5.

Разреши́те пройти́. Переда́йте биле́т, пожа́луйста.	Will you let me pass, please? Will you pass this ticket, please?

Exercise 3

Now imagine that you are going on trolleybus number 1 to **Тверска́я у́лица**. Practise this dialogue with your partner filling in the gaps.

На у́лице

You. (Ask where the stop for trolleybus number 1 is.)

Прохо́жий. Вон там, напра́во.

You. (Ask where you can buy tickets.)

Прохо́жий. Там, нале́во.

You. (Say thank you.)

У кио́ска

You. (Ask for a book of tickets.)

Продавщи́ца. Пятьдеся́т копе́ек, по-жа́луйста.

You. (Say thank you.)

В тролле́йбусе

You. (Ask whether this trolleybus goes to Tverskaya St.)

Пассажи́р. Да, идёт.

You. (Ask which stop you need to get off at.)

Пассажи́р. Через три́ остано́вки. Переда́йте биле́т, пожа́луйста.

You. (Say certainly.)

2-й пассажи́р. Молодо́й челове́к, вы выхо́дите на сле́дующей?

You. (Say no, you're not.)

2-й пассажи́р. Разреши́те пройти́.

You. (Say certainly.)

Пассажи́р. Вам на́до выходи́ть здесь.

You. (Say thanks a lot and goodbye.)

2. You want to travel by bus No. 98 to **проспе́кт Ми́ра**. It is the sixth stop.
3. You want to travel by trolleybus No. 2 to **Кра́сная пло́щадь**. It's the third stop.
4. You want to travel by bus No. 18 to **пло́щадь Ногина́**. It's the second stop.

Make up some more dialogues to fit the following situations:

1. You want to travel by tram No. 14 to **пло́щадь Гага́рина**. It is the fourth stop.

Dialogue 3

Andrei Vasilyevich is at the station and he wants to buy ticket for Kiev.

1. Where does Andrei Vasilyevich want to travel to?

2. Write down the numbers and times of departure and arrival (at the destination) of the two trains he is offered:

3. How much does his ticket cost? ~~12~~ 15.20

4. Which platform will his train leave from? 3 ~~0~~

No.	Departs	Arrives
3	9.00 pm	9.00 am
41	11.30	~~20.00~~ 12.17

Андре́й Васи́льевич. Извини́те, пожа́луйста, здесь мо́жно купи́ть биле́т в Ки́ев?

Касси́р. Да, мо́жно.

А. В. Каки́е есть ночны́е поезда́ в Ки́ев?

Касси́р. Есть по́езд но́мер три и по́езд но́мер 41.

А. В. Когда́ отправля́ется по́езд но́мер 3 и когда́ он прибыва́ет в Ки́ев?

Касси́р. По́езд но́мер 3 ухо́дит в 9 часо́в ве́чера и прибыва́ет в 9 часо́в утра́, и по́езд но́мер 41 ухо́дит в 11.30 ве́чера и прибыва́ет в Ки́ев в 12.17.

А. В. Да́йте мне, пожа́луйста, оди́н биле́т на по́езд но́мер 3. Ско́лько э́то сто́ит?

Касси́р. С вас 15 рубле́й 20 копе́ек.

А. В. Пожа́луйста. С како́й платфо́рмы ухо́дит по́езд?

Касси́р. С тре́тьей.

А. В. Благодарю́ вас.

104

Questions and Answers to Learn (3)

1.

Какие есть поезда́	в Ленингра́д в Оде́ссу в Минск в Ри́гу	сего́дня? за́втра? в суббо́ту? в четве́рг?		Есть	по́езд № 3 № 4 № 5 экспре́сс	в 6 часо́в ве́чера. в 10 часо́в утра́. в час но́чи. в 3 часа́ дня.

What trains are there	to Leningrad to Odessa to Minsk to Riga	today? tomorrow? on Saturday? on Thursday?		There is	train No. 3 No. 4 No. 5 an express	at 6 p. m. at 10 a. m. at 1 a. m. at 3 p. m.

2.

Когда́	отправля́ется ухо́дит / прихо́дит прибыва́ет	по́езд	в Ки́ев? в Москву́? / из Ки́ева? из Москвы́?		По́езд	отправля́ется ухо́дит прихо́дит прибыва́ет	в 22 часа́ 30 мину́т. в 9 часо́в. в трина́дцать со́рок. в 19 часо́в. с опозда́нием.

When does the train	leave for Kiev? leave for Moscow? arrive from Kiev? arrive from Moscow?		The train	leaves / arrives / is arriving	at 22.30. at 9.00. at 13.40. at 19.00. late.

3.

С како́й платфо́рмы ухо́дит по́езд?	С пе́рвой/ второ́й/ тре́тьей платфо́рмы.
На каку́ю платфо́рму прихо́дит по́езд?	На пе́рвую/ втору́ю/ тре́тью платфо́рму.

From which platform will the train leave?	From platform 1/2/3.
At which platform will the train arrive?	At platform 1/2/3.

4.

Ско́лько	сто́ит биле́т? я вам до́лжен?	С вас 14 рубле́й 50 копе́ек.

How much	is the ticket? do I owe you?	14 roubles 50 kopecks.

Междугоро́дный тра́нспорт в СССР

Because of the great distances involved, and the relatively undeveloped road system Soviet people rarely drive on inter-city journeys by car. The most common form of transport is the train.

The small towns and villages around Moscow are served by very cheap and frequent electric trains known as **электри́чки**.

On longer journeys passengers usually travel in a sleeping car (**спа́льный ваго́н**). You can travel "soft" (**мя́гкий**) or "hard" (**жёсткий**) class, depending on the degree of comfort you require. Your ticket will show the number of your carriage (**ваго́н**), compartment (**купе́**), and berth (**ме́сто**). A **плацка́ртный биле́т** is a sleeping place in a general compartment.

Each sleeping car has one or two attendants (**проводни́ца** or **проводни́к**) who give out and collect the sheets (**про́стыни**), blankets (**одея́ла**), towels (**полоте́нца**), and pillows (**поду́шки**), and also provide glasses of tea for a few kopecks. A particularly good type of train to travel on is a **фи́рменный по́езд**, a first class train.

Air travel within the USSR is almost as cheap as by rail, and so is also very popular. International air tickets, however, are much more expensive. A ticket from Moscow to Vladivostok, for instance, (7,000 km) costs around 134 roubles, while one from Moscow to Paris (2,000 km) costs 462 roubles. To catch your plane you will need to know your flight number (**но́мер ре́йса**), time of departure (**вре́мя вы́лета**) and departure gate (**вы́ход**).

Ships are also an important form of transport, for passengers as well as freight, and not only by sea but also on the huge rivers like the Volga, the Dnieper, and the Ob. The **парохо́ды** (steamers) that used to ply these rivers have now been replaced by **теплохо́ды** (motor- or diesel-ships), but the word **парохо́д** is still used occasionally. A more exciting trip on the river is provided by the high-speed hydrofoils known as **раке́ты**, which operate in Moscow, Leningrad, Kiev and a few other cities.

Exercise 4. Расписа́ние поездо́в

A. Here is a train timetable. It gives lots of information about trains departing from **Ки́евский вокза́л**. As you can see, however, there are some gaps. Listen to the dialogues on the tape which take place in a ticket office and see if you can fill them in...

Платформа	Пункт назначения	Время отправления	Время прибытия	Цена билетов
4		21.20	9.00	15.20
2	Одесса		16.25	19.70
6	Брянск	22.38	6.15	
10		20.20	7.30	18.50
	Кишинёв	22.13	22.54	18.00
8	Сумы	20.00		16.30
	Житомир			
	Хмельницкий			
	Ужгород			
	Львов			

B. Now listen to the station announcements for some more trains and see if you can fill in the rest of the timetable.

Exercise 5. План вокза́ла

Here is a plan of the **Ки́евский вокза́л** in Moscow. Andrei Vasilyevich is looking for five different places in the station. Listen to the tape of the directions he is given to these places and see if you can work out what they are:

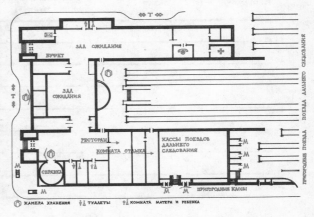

Now with your partner practise asking and telling the way to different places in the station. You will find some useful phrases in Unit 5 on page 89.

Exercise 6. Бюро нахо́док

Here are some of the different articles which have been found on trains and handed in at the lost property office. Some passengers come to the office to reclaim their things and have to explain exactly which train, carriage and seat they left their property on. Listen to the tape and fill in the table below:

кошелёк

очки

чемода́н

бума́жник

су́мка

ша́пка

кни́га

зо́нтик

Item	Colour	Train No. and where from	Carriage No.	Seat No.
Hat	Brown	Minsk 12	4	5
Glasses		Leningrad 7	8	6
Wallet		Novosibirsk 3	10	9

When you have filled in the table, take it in turns to be the Lost Property attendant and a passenger, and report the loss of the various items.
You may even want to make up your own items and trains!

Dialogue 4

Petya and his friends are back at school after the New Year holiday. They are telling each other where they went and how.
Link each of the five names to the right place and means of transport:

Petya
Alyosha
Natasha
Tanya
Seryozha

Bulgaria (Varna)
South/Black Sea
Novgorod
Grandma's (Near Moscow)
Tallinn

Train
Ship
Aeroplane
Car
Local (electric) train

Пе́тя. Приве́т, Алёша! Ты куда́-нибудь е́здил на весе́нние кани́кулы?

Алёша. Да, е́здил, в Та́ллинн. Там у меня́ живу́т дя́дя и тётя.

Пе́тя. Лета́л?

Алёша. Нет, на по́езде е́здил. А ты был где́-нибудь во вре́мя кани́кул?

Пе́тя. Мы е́здили в Но́вгород на маши́не. Го́род о́чень краси́вый, осо́бенно зимо́й. А вот и Ната́ша! Приве́т! У тебя́ зага́р?! Где ты была́?

Ната́ша. Мы с ма́мой лета́ли на юг, к Чёрному мо́рю.

Алёша. Загора́ть на берегу́ мо́ря ра́нней весно́й! Великоле́пно!

Ната́ша. Да, непло́хо. Та́ня то́же была́ на ю́ге, да́же за грани́цей. Пра́вда, Та́ня?

Та́ня. Мы е́здили в Болга́рию. Плы́ли на теплохо́де из Оде́ссы в Ва́рну. Здо́рово бы́ло! Мне о́чень понра́вилось плыть теплохо́дом — так ти́хо и споко́йно!

Пе́тя. А где ты был, Серёжа?

Серёжа. А мы с бра́том про́сто е́здили к ба́бушке. Она́ живёт совсе́м неда́леко, под Москво́й. Со́рок мину́т на электри́чке.

Questions and Answers to Learn (4)

1.

Как	ты / вы	обы́чно	е́здишь / е́здите	в шко́лу? / на рабо́ту?

Обы́чно	е́зжу	авто́бусом/на авто́бусе. электри́чкой. на велосипе́де. на маши́не. на метро́.

How do you usually get	to school? to work?	I	usually	go by	bus/on train. on in	the	bus. bike. car.
					underground.		

2.

На чём	ты е́здил (а) / вы е́здили	в СССР / в Да́нию	в про́шлом году́? / на про́шлой неде́ле?

Я	е́здил (а)	по́ездом/на по́езде. теплохо́дом/на теплохо́де. парохо́дом/на парохо́де.
	лета́л (а)	самолётом/на самолёте.

How did you go to	the USSR Denmark	last year? last week?	I	went	by	train/on a train. ship/on a ship. ship/on a ship (steamer).
			(flew) by plane/on a plane.			

3.

Вы когда́-нибу́дь Ско́лько раз вы	е́здили	на тролле́йбусе/мотоци́кле/трамва́е?
	е́здили/пла́вали	на парохо́де/теплохо́де/„раке́те"?
	е́здили/лета́ли	на самолёте/косми́ческом корабле́?

Have you ever How many times have you	been	on a trolleybus/motorbike/tram?
	been/sailed	on a ship/hydrofoil?
	been/flown	in an aeroplane/spaceship?

Exercise 7

Listen to the four different announcements on the tape and see if you can work out which one can be heard...
1. At the airport?
2. At the railway station?
3. On the metro?
4. On a bus?

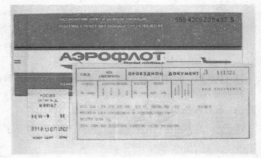

Exercise 8. Какой вид транспорта?

Read the dialogue below, in which Petya, Natasha, and Alyosha are discussing which method of transport they like best:

Пе́тя. Ната́ша, на чём ты бо́льше всего́ лю́бишь е́здить?

Ната́ша. Бо́льше всего́ люблю́ лета́ть на самолёте, потому́ что э́то са́мый бы́стрый вид тра́нспорта.

Алёша. А я бо́льше люблю́ по́езд, чем самолёт. По-мо́ему, по́езд — са́мый интере́сный вид тра́нспорта. А у тебя́, Пе́тя, како́й люби́мый вид тра́нспорта?

Пе́тя. Тру́дно сказа́ть... но бо́льше всего́, наве́рное, люблю́ е́здить на маши́не, потому́ что э́то са́мый удо́бный вид тра́нспорта.

Now use the phrases in the dialogue, and the table below to discuss your favourite means of transport with your friends.
Then see how many more possible sentences you can make up by combining methods of transport and reasons, i. e.:
Бо́льше всего́ люблю́ е́здить (лета́ть) на ... , потому́ что э́то са́мый ... вид тра́нспорта.

Самолёт	Са́мый интере́сный
По́езд	Са́мый ти́хий и споко́йный
Теплохо́д	Са́мый дешёвый
Маши́на	Са́мый здоро́вый
Велосипе́д	Са́мый бы́стрый
Трамва́й	Са́мый удо́бный
Авто́бус	Са́мый безопа́сный
Мотоци́кл	Са́мый чи́стый

Письмо́ от Са́лли

Now answer these questions:

1. What sorts of transport can you not find in Sheffield?
2. What is the main difference between bus-fares in England and in Moscow?
3. How does Sally go to town on Saturday?
4. How much does it cost to go from Sheffield to London by train and how long does it take?
5. How much does it cost to travel from Sheffield to London by coach and how long does it take?
6. When did Sally go to Spain?
7. Which forms of transport is Sally looking forward to trying in Moscow, and why?

115 Longley Lane,
Sheffield

14 января

Приве́т, Пе́тя!

Спаси́бо за письмо́. Я о́чень ра́да, что мы уви́димся, когда́ я прие́ду в а́вгусте в Москву́. Я о́чень жду встре́чи.

Я уже́ о́чень мно́го расска́зывала тебе́ о Шеффи́лде, но рассказа́ла ещё не всё. У нас нет ни трамва́ев, ни тролле́йбусов и, как я уже́ писа́ла, нет метро́. У нас то́лько авто́бусы и такси́. В Ло́ндоне, коне́чно, есть метро́, а та́кже в Ливерпу́ле и Гла́зго. В А́нглии е́здить авто́бусом дово́льно до́рого, и, чем да́льше ты е́дешь, тем бо́льше ты пла́тишь. Такси́ ещё доро́же. Но у нас есть маши́на, и обы́чно мы все е́здили на ней в центр го́рода по суббо́там. В

шко́лу я ка́ждый день е́зжу авто́бусом.

В Шеффи́лде то́лько оди́н вокза́л, хотя́ в больши́х города́х вокза́лов быва́ет не́сколько. Из Шеффи́лда мо́жно дое́хать до Ло́ндона по́ездом за три часа́. Биле́т сто́ит 25 фу́нтов. Гора́здо деше́вле е́хать в Ло́ндон из Шеффи́лда авто́бусом — четы́ре часа́. Биле́т сто́ит 17 фу́нтов туда́ и обра́тно.

Оди́н раз я лета́ла самолётом, когда́ в про́шлом году́ ле́том мы е́здили в Испа́нию. Коне́чно, я полечу́ в СССР. В Москве́ мне бу́дет интере́сно е́здить на тролле́йбусе и трамва́е. Ведь я уже́ говори́ла, что у нас в Брита́нии нет ни тролле́йбусов, ни трамва́ев.

Посыла́ю тебе́ не́сколько откры́ток с ви́дами го́рода и Пи́ка Дистри́кта. Пиши́ мне скоре́е!

Всего́ хоро́шего!

Са́лли

Town Hall, Sheffield

River Dove and Raven's Tor Rock, Dovedale, Derbyshire

D.0306

View from Headstones, Monsal Dale, Derbyshire.

D.0323L

Vocabulary

BASIC

автобус bus
автомобиль car
билет ticket
быстрее (чем) faster (than)
быстрый fast
вагон carriage
велосипед bicycle
вид type/sort
вид транспорта means of transport
водитель driver
время time
выход exit/departure gate (airport)
выходить to go out/get off (a bus, etc.)
давать/дать to give
дай(те)... give me/can I have...
делать/сделать пересадку to change (buses, trains, etc.)
дверь door
доехать до to go as far as/get to
дорогой dear/expensive
дороже (чем) dearer (than)
закрываться to close
занят occupied
здоровый healthy
зелёный green
знать to know
интересный interesting
кассир cashier
контролёр inspector
копейка kopeck
купе compartment
купить to buy
любимый favourite

машина car
место seat
метро underground/tube/metro
мотоцикл motorcycle
номер number
останавливаться/остановиться to stop
остановка (bus/tram) stop
осторожно carefully/be careful
отправляться/отправиться to set off
отъезд departure
пассажир passenger
пересадка change (buses/trains, etc.); делать пересадку to change
пешком on foot
план plan/street map
платить to pay
платформа platform
поезд train
покупать/купить to buy
попасть to get to
приезд arrival
приходить to arrive
продавщица shop assistant
пройти to get to/get past/go past
разрешать/разрешить to allow/let
расписание timetable
рубль rouble
садиться/сесть to get on (a bus/train, etc.)
самолёт aeroplane
свободный free/unoccupied
сесть to get on (a bus/train, etc.)

сколько стоит? how much is it?
следующий next/following
такси taxi
талон bus/tram/trolleybus ticket
тихий quiet
трамвай tram
троллейбус trolleybus
уходить/уйти от... to leave from...
фунт pound
цена price
час time/hour
чистый clean
экспресс express (train)
электричка electric train

автомат slot machine
багаж luggage
библиотека library
бюро находок lost property
вокзал station
женщина woman
жёлтый yellow
зал ожидания waiting room
касса ticket office
кафе café
киоск kiosk
молодой человек young man
мужчина man
очки glasses/spectacles
потерять to lose
прошлый last/previous
размен (денег) change (of money)
серый grey
стадион stadium

ста́нция station
стоя́нка такси́ taxi rank
су́мка (hand)bag
теря́ть/потеря́ть to lose
тру́дно difficult/hard
туале́т toilet
у́гол corner

у́лица street
университе́т university
чемода́н suitcase
ша́пка hat

бе́рег мо́ря sea-side

ждать to wait; о́чень жду I'm looking forward to
зимо́й in Winter
краси́вый beautiful
спра́шивать to ask
юг south

HIGHER

благодари́ть to thank
благодарю́ вас thank you
бума́жник wallet
гора́здо much
да́льше further
деше́вле (чем) cheaper (than)
дешёвый cheap
дово́льно fairly/quite
жёсткий 'hard' (second) class
зага́р suntan
загора́ть to sunbathe
за грани́цей abroad
зо́нтик umbrella
ка́мера хране́ния left luggage
кора́бль ship
кори́чневый brown
косми́ческий кора́бль space ship
кошелёк purse
лета́ть to fly

лете́ть/полете́ть to fly
междугоро́дный intercity
междунаро́дный international
мя́гкий 'soft' (first) class
найти́ to find
находи́ть/найти́ to find
неопа́сный safe
не́сколько a few/several
нового́дние кани́кулы New Year holidays
обра́тно back (i. e. return journey)
одея́ло blanket
парохо́д (steam)ship
передава́ть/переда́ть to pass on
пла́вать to sail/go by ship
плацка́ртный биле́т ticket for an 'open sleeper' carriage (i. e. without compartments)

плыть/поплы́ть to sail/go by ship
поду́шка pillow
полете́ть to fly
проводни́к attendant (on train) (m.)
проводни́ца attendant (on train) (f.)
простыня́ sheet
путеше́ствие journey
путь way/journey
раке́та rocket/hydrofoil
рейс flight
споко́йный peaceful/calm
теплохо́д (motor)ship
удо́бный comfortable/convenient
хотя́ although

EXTRA

ближа́йший nearest
великоле́пно! great!/fantastic!
кни́жечка book (of bus/tram tickets)
кольцева́я (ли́ния метро́) circle (line of underground)
компо́стер ticket punching machine

компости́ровать to punch (a ticket)
маршру́тное такси́ fixed-route taxi (minibus)
опозда́ние lateness
прибыва́ть to arrive
прибы́тие arrival

пункт назначе́ния destination
сообще́ние communication
спа́льный ваго́н sleeping car
телеба́шня Post Office Tower/ Television Tower
фи́рменный по́езд special express train

Dialogue 1

1. Metro or bus No. 111.
2. Metro is quicker.
3. He can travel from Marx Prospect without changing.

Exercise 1

куда?	автобусом	троллейбусом	трамваем	на метро
В Кремль	✳	✳		✳ ✳
В парк «Сокольники»		✳	✳ ✳	
В гостиницу «Украина»				✳
На проспект Калинина				✳
К Останкинской телебашне	✳ ✳	✳	✳	

Exercise 2

1. Надо ехать от станции «Курская» до станции «Комсомольская», там сделать пересадку и оттуда ехать прямо до станции «Сокольники».
2. Надо ехать от станции «Комсомольская» до станции «Кировская», там сделать пересадку и оттуда ехать прямо до станции «Ленинский проспект».
3. Надо ехать от станции «Электрозаводская» до станции «Курская», там сделать пересадку и оттуда ехать прямо до станции «Парк культуры».
4. Надо ехать от станции «Аэропорт» до станции «Белорусская», там сделать пересадку, оттуда ехать до станции «Киевская», опять сделать пересадку на станцию «Смоленская» и оттуда ехать прямо до станции «Филёвский парк».

Dialogue 2

1. On the corner.
2. Where he can buy tickets.
3. 50 kopecks.
4. After 4 stops.
5. Are you getting off at the next stop?

Dialogue 3

1. Kiev.
2. No. 3 leaves at 9 p.m. and arrives at 9 a.m. No. 41 leaves at 11.30 p.m. and arrives at 12.17 p.m.
3. 15 roubles 20 kopecks.
4. From platform 3.

116

Exercise 4. Расписа́ние поездо́в

Платфо́рма	Пункт назначе́ния	Вре́мя отправле́ния	Вре́мя прибы́тия	Цена́ биле́тов
4	Ки́ев	21.20	9.00	15.50
2	Оде́сса	16.28	16.25	19.00
6	Брянск	22.38	6.15	9.00
10	Черни́гов	19.05	23.05	14.00
5	Кишинёв	22.13	22.54	21.00
8	Су́мы	20.00	9.03	14.00
12	Жито́мир	16.35	10.03	16.00
3	Хмельни́цкий	15.48	17.30	18.00
5	У́жгород	22.00	9.25	21.00
9	Львов	21.23	22.49	20.00

Exercise 6. Бюро́ нахо́док

Item	Colour	Train No. where from	Carriage No.	Seat No.
hat	brown	12 — Minsk	4	5
glasses		7 — Leningrad	8	6
wallet		3 — Novosibirsk	10	9
purse		8 — Voronezh	7	9
suitcase	grey	5 — Kursk	12	17
umbrella	yellow	19 — Tambov	4	6
ticket		16 — Novgorod	8	14
hand-bag	green	2 — Kirov	7	11

Dialogue 4

Petya — Novgorod — car
Alyosha — Tallinn — train
Natasha — South/Black Sea — aeroplane
Tanya — Bulgaria (Varna) — ship
Seryozha — Grandma's (near Moscow) — local (electric) train

Exercise 7

1. Metro. 2. Bus. 3. Airport. 4. Railway station.

Письмо́ от Са́лли

1. Metro, trolleybus, tram.
2. In the U. K. the further you go the more you pay.
3. By car.
4. £25, 3 hours.
5. £17 return, 4 hours.
6. Last Summer.
7. Trolleybus and tram, because there aren't any in Britain.

Unit 7

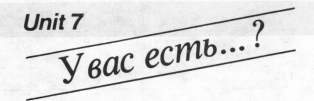

У вас есть…?

Dialogue 1

Listen to the following dialogue and then answer these questions:
1. What is Natasha doing after school today?
2. Where is she going?
3. Why is Petya interested in accompanying her?
4. Where in Moscow can you find a good souvenir shop?

Пе́тя. Ната́ша, что ты де́лаешь сего́дня по́сле уро́ков?

Ната́ша. Иду́ по магази́нам. Мне на́до сде́лать кое-каки́е поку́пки.

Пе́тя. А что на́до купи́ть?

Ната́ша. Проду́кты. Пойду́ в гастроно́м на Тверско́й у́лице, в «Елисе́евский». Ты там был?

Пе́тя. Нет.

Ната́ша. О́чень интере́сный магази́н. Наве́рное, са́мый краси́вый гастроно́м в Москве́. Сто́ит посмотре́ть. Мо́жет быть, пойдём вме́сте?

Пе́тя. Пойдём. А мне на́до купи́ть пода́рок, типи́чный ру́сский сувени́р. Ты зна́ешь, где мо́жно купи́ть хоро́шие сувени́ры?

Ната́ша. Есть хоро́ший магази́н пода́рков на Тверско́й у́лице. Пойдём вме́сте. Я тебе́ покажу́.

Dialogue 2
1
Natasha and Petya arrive at the food-shop:
1. What does Natasha ask Petya to do?
2. Which departments is she going to, and where is it?

Ната́ша. Вот мы и пришли́. Ви́дишь, како́й интере́сный магази́н? По-мо́ему, о́чень краси́вый. А по-тво́ему?

Пе́тя. Ничего́, в Ленингра́де на Не́вском есть почти́ тако́й же.

Ната́ша. Ой, как мно́го наро́ду! И в ка́ссу больша́я о́чередь. Встань, пожа́луйста, в о́чередь, а я пойду́ в мясно́й отде́л.

Пе́тя. А где он? Я не ви́жу.

Ната́ша. Да вон там, сле́ва от вхо́да в магази́н.

2

Now listen to four short dialogues:

1. List the items Natasha buys at the meat and grocery counters, and their prices.
2. List the items she buys at the dairy counter, and their prices.
3. What items can she not get at each counter?
4. What dots the final bill come to?
5. What does Natasha ask Petya to give her by the cash desk?

A. Ната́ша. У вас есть мя́со для котле́т?

Продавщи́ца. Нет. Есть ку́ры и мя́со для су́па.

Ната́ша. А ско́лько сто́ит вот э́тот кусо́к мя́са?

Продавщи́ца. Здесь ро́вно килогра́мм. С вас два рубля́.

B. Ната́ша. Ско́лько сто́ит вот э́та колбаса́?

Продавщи́ца. Два девяно́сто. Ско́лько вам?

Ната́ша. Полкилогра́мма, пожа́луйста. А соси́ски есть?

Продавщи́ца. Соси́сок сего́дня нет. Плати́те рубль со́рок пять в ка́ссу.

C. Продавщи́ца. Слу́шаю вас.

Ната́ша. Да́йте, пожа́луйста, две буты́лки молока́ и две́сти гра́ммов смета́ны.

Продавщи́ца. Так... Что́-нибудь ещё?

Ната́ша. Четы́реста гра́ммов голла́ндского сы́ра. А я́йца у вас есть?

Продавщи́ца. Нет, я́йца в друго́м отде́ле.

Ната́ша. Тогда́ всё. Ско́лько с меня́?

Продавщи́ца. Молоко́ — шестьдеся́т копе́ек, смета́на — три́дцать четы́ре копе́йки и сыр — рубль два́дцать. С вас два рубля́ четы́рнадцать копе́ек.

D. Пе́тя. Ната́ша, быстре́е! Я сле́дующий.

Ната́ша. Извини́, Пе́тя.

Касси́рша. Слу́шаю вас. Де́вушка, быстре́е!

Ната́ша. Три со́рок пять в мясно́й отде́л и два четы́рнадцать в моло́чный.

Касси́рша. Пять пятьдеся́т де́вять.

Ната́ша. У меня́ де́сять рубле́й.

Касси́рша. У вас нет ме́лочи?

Ната́ша. Петь, у меня́ то́лько пятьдеся́т копе́ек. У тебя́ нет ме́лочи? Дай де́вять копе́ек, пожа́луйста.

Пе́тя. Возьми́.

Касси́рша. Возьми́те сда́чу и че́ки.

119

Phrases to Learn (1)

1.

Где мо́жно	купи́ть	пода́рки?
Я хочу́ Мне на́до		сувени́ры. проду́кты. оде́жду. откры́тки. ма́рки.

Where can I	buy	presents?
I want to I've got to		souvenirs. food/groceries. clothes. postcards. stamps.

2. Customer

У вас есть ...? Да́йте, пожа́луйста ... Ско́лько сто́ит/сто́ят ...? Ско́лько с меня́?

Have you got ...? Can I have ...? How much is/are? How much is it (altogether)?

3. Shop assistant

У нас нет ... У нас не быва́ет ... Это всё? Что ещё? Плати́те в ка́ссу. Возьми́те чек. У вас есть ме́лочь? У вас нет ме́лочи?

We haven't got ... We don't have (don't stock) ... Is that all? Anything else? Pay at the till. Take your ticket/receipt. Have you got any small change? Haven't you got.

4.

С вас	(оди́н) рубль	(одна́) копе́йка.	
	два/три/четы́ре рубля́	две/три/четы́ре копе́йки.	... rouble(s) ... kopeck(s), please.
	пять/шесть... рубле́й	пять/шесть... копе́ек.	

5.

В кото́ром часу́ Когда́	открыва́ется закрыва́ется	магази́н? рестора́н? столо́вая?

Магази́н Рестора́н Столо́вая	открыва́ется закрыва́ется	в де́сять часо́в. в семь часо́в.
	рабо́тает	с девяти́ до пяти́. с переры́вом на обе́д.

At what time When	does	the shop the restaurant the canteen	open? close?

The shop The restaurant The canteen	opens closes	at 10 o'clock. at 7 o'clock.
	works	from 9 to 5. with a lunch break.

Shopping—Soviet Style

Coping with queues can be a vital survival skill for the Soviet shopper, not necessarily because of shortages, but because of the way shops are traditionally organized. You usually pay for your purchases not at the counter, but at a central cash desk (**ка́сса**) which serves all the various departments (**отде́лы**) of the shop. At busy times this can involve queuing up three times: once at the counter to choose or weigh your purchases and find out the prices, then at the **ка́сса** to pay and get a **чек** (ticket/receipt) showing the right amount and right department, then back again at the counter to hand in the **чек** and collect your goods. If you are buying items at various departments of a department store (**универма́г**) or food store (**гастроно́м, продово́льственный магази́н** or **магази́н «Проду́кты»**) this can get quite tedious!

More and more of the traditional-style food stores are now being replaced by shops like our supermarkets, with baskets or trolleys and a check-out by the exit. These are called **«Универса́м»**—a combination of the words **универма́г** and **самообслу́живание** (self-service).

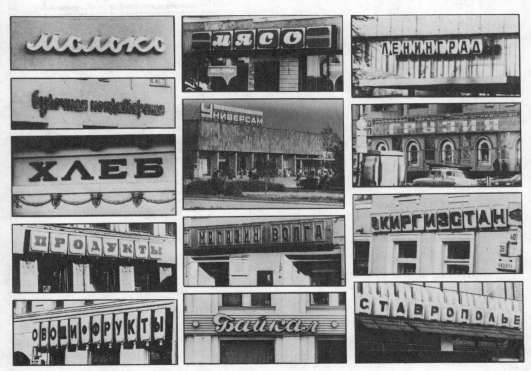

Exercise 1. Что нýжно купи́ть?

Petya has a lot of shopping to do today. Here's his list!

How quickly can you sort out the items according to which shop or department he has to go to to get them? The five shops or departments are listed below. How many items does he buy in each?

Курица - мясо
Сыр молоко
Сметана молоко
Пиво напитки
Морковь о-ф
Ветчина мясо
Котлеты мясо
Булочки бул.
Лук о-ф
Торт бул
Молоко мол
Масло мол
Грибы о/ф
Минеральная вода нап
Картофель оф
Колбаса мясо
Чёрный хлеб булок
Фруктовый сок нипи
Печенье бул
Апельсины оф
Квас мясо нап

ОВОЩИ-ФРУКТЫ

НАПИТКИ

БУЛОЧНАЯ

МОЛОКО

МЯСО

Exercise 2

Of course, in order to buy the items you will have to say **how much** of each one you want (e. g., **a kilogram** of meat, **a bottle** of milk, etc.).

You will also want to say **what sort** of bread, wine, caviar, etc., you want. Try using the table below to make up as many **sensible** combinations as you can.

122

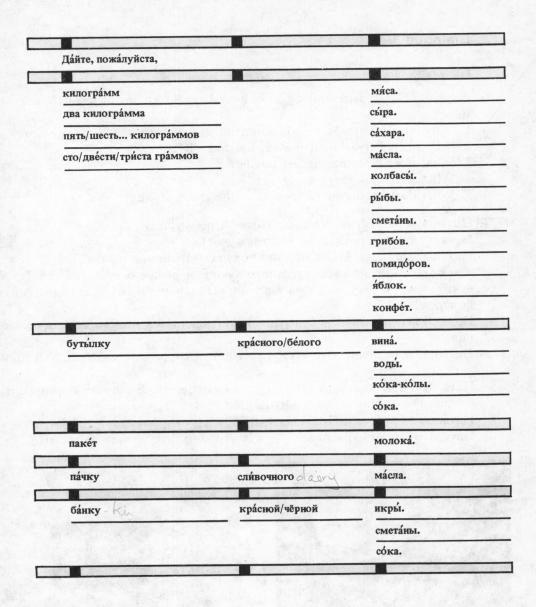

Да́йте, пожа́луйста,

килогра́мм		мя́са.
два килогра́мма		сы́ра.
пять/шесть... килогра́ммов		са́хара.
сто/две́сти/три́ста гра́ммов		ма́сла.
		колбасы́.
		ры́бы.
		смета́ны.
		грибо́в.
		помидо́ров.
		я́блок.
		конфе́т.

буты́лку	кра́сного/бе́лого	вина́.
		воды́.
		ко́ка-ко́лы.
		со́ка.

паке́т		молока́.
па́чку	сли́вочного dairy	ма́сла.
ба́нку -Kи	кра́сной/чёрной	икры́.
		смета́ны.
		со́ка.

Exercise 3

Listen to the **касси́рша** at the **универса́м** checking through what various shoppers have in their baskets. First time through, note down in English as many items as you can, then play the "basket" through again and try to write down the prices and the total.

123

Dialogue 3

На у́лице

Petya and Natasha are walking down Tverskaya Street, having just left the food-store.

1. Why hasn't Natasha bought any fruit or vegetables?
2. Who must Petya buy a present for and why?
3. What does Natasha suggest buying?
4. What ideas has Petya got?
5. What do they decide to look at in the end and why?

Ната́ша. Спаси́бо за по́мощь, Пе́тя. Я всё купи́ла.

Пе́тя. Óвощи и фру́кты не на́до покупа́ть?

Ната́ша. Не на́до. Ма́ма обы́чно покупа́ет о́вощи на ры́нке. Там доро́же, чем в магази́не, но о́вощи намно́го лу́чше. А ры́нок отсю́да далеко́. На́до е́хать на метро́. Ну, пойдём в магази́н «Пода́рки». Кому́ тебе́ на́до купи́ть пода́рок?

Пе́тя. Я перепи́сываюсь с де́вушкой из А́нглии. А у неё ско́ро день рожде́ния.

Ната́ша. Я не зна́ла, что у тебя́ есть така́я корреспонде́нтка. Ско́лько ей лет?

Пе́тя. Четы́рнадцать. А скоро́ бу́дет пятна́дцать. В а́вгусте она́ прие́дет в Москву́ с гру́ппой шко́льников. Вот её фотогра́фия, смотри́.

Ната́ша. М-м-м-м... Прия́тное лицо́...

Пе́тя. По-мо́ему, краси́вое! Как ты ду́маешь, что лу́чше ей купи́ть?

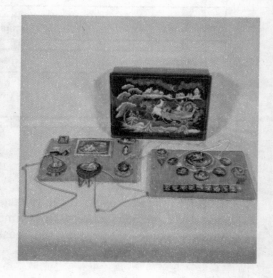

Наташа. Не знаю. Может быть, открытки с видами Москвы или фотоальбом о Москве...

Петя. Нет, я уже дарил ей открытки и значки. Я думал, красивый русский платок или духи «Красная Москва».

Наташа. Духи! Петя, не надо покупать незнакомой девушке духи!

Петя. Почему «не надо»?! Она же не незнакомая. Мы уже пишем друг другу письма восемь месяцев. Ну ладно, пойдём смотреть платки.

Наташа. Ладно, пойдём.

В магазине

Now listen to the dialogues that take place in two different shops:

1. Which shawl does Natasha like?
2. How much does it cost?
3. How much money has Petya got?
4. Which floor are shawls on in **ЦУМ**?
5. How much does the shawl cost which Petya buys?

A

Петя. Извините, какие у вас есть платки?

Продавщица. Молодой человек, у нас очень много платков. Смотрите.

Петя. Да, вижу... Покажите, пожалуйста, этот... синий и зелёный.

Продавщица. Пожалуйста.

Наташа. Этот мне совсем не нравится, Петя. Цвет очень яркий, и это совсем не типичный русский платок. Девушка, можно посмотреть вот этот,

чёрный с кра́сными цвета́ми? Спаси́бо... О́чень краси́вый, да, Пе́тя? Как ты ду́маешь, он мне идёт?

Пе́тя. Да, тебе́ о́чень идёт — но сего́дня я не тебе́ покупа́ю пода́рок.

Ната́ша. А когда́ ку́пишь? За́втра?

Пе́тя. Посмо́трим... Скажи́те, пожа́луйста, ско́лько сто́ят э́ти платки́?

Продавщи́ца. Си́ний — во́семь пятьдеся́т, а чёрный — оди́ннадцать во́семьдесят.

Ната́ша. Чёрный доро́же, но он мне бо́льше нра́вится. Сове́тую тебе́ купи́ть его́.

Пе́тя. К сожале́нию, он сли́шком дорого́й. У меня́ то́лько де́сять рубле́й. Что де́лать?

Ната́ша. Мо́жет быть, пойдём в ЦУМ? Э́то недалеко́, за Больши́м теа́тром. Там обы́чно большо́й вы́бор платко́в.

B

 Ната́ша. Платки́, я ду́маю, на второ́м этаже́. А, вот они́.

Пе́тя. Ты права́, Ната́ша, здесь вы́бор намно́го лу́чше. Мне о́чень нра́вится э́тот, с цвета́ми. Де́вушка, ско́лько сто́ит э́тот плато́к?

Продавщи́ца. Де́вять со́рок пять.

Пе́тя. Отли́чно! Я его́ возьму́. Плати́ть вам?

Продавщи́ца. Нет, в ка́ссу, пожа́луйста.

Пе́тя. Хорошо́. А вы мо́жете заверну́ть его́ в краси́вую бума́гу? Э́то пода́рок англича́нке.

Продавщи́ца. Коне́чно, заверну́. Пожа́луйста.

Phrases to Learn (2)

1.

Мне на́до купи́ть пода́рок	бра́ту. отцу́. сестре́. ба́бушке. ма́тери. роди́телям.	I have to buy a present for my	brother. father. sister. grandmother. mother. parents.

2.

Покажи́те, пожа́луйста, Мо́жно посмотре́ть Я возьму́ Заверни́те, пожа́луйста,	э́тот	плато́к. журна́л.	Please show me Can I have a look at I'll take Please wrap up	this that	headscart. magazine. record. matryoshka. dress.
	э́ту	пласти́нку. матрёшку.			
	э́то	пла́тье.			
	э́ти	откры́тки. сла́йды. духи́.		these	postcards. slides. perfume.

Exercise 4. Что ты купи́ла?

Listen to this girl telling a friend what presents she has bought for her family for New Year. Fill in the presents, and their prices (if mentioned) in English, in the grid.

	Present	Price
Parents		
Grandpa		
Grandma		
Brother		
Sister		

Exercise 5. Жа́лобы! (Complaints!)

These four people have returned to the shop because there is something wrong with the items they have bought. Fill in as much information as you can on the chart.

Item	When purchased	Nature of problem	Response offered by shop
1.			
2.			
3.			
4.			

Exercise 6. Что купи́ть?

Now try choosing some souvenirs from the selection below to take back for your family from a trip to the USSR. Ask your Soviet friend to help you choose. Use some of the phrases from the two dialogues below.

— Как ты ду́маешь, что мне купи́ть бра́ту?
— Ско́лько ему́ лет?
— Де́сять.
— Купи́ ему́ вот э́ту моде́ль сове́тской маши́ны. Э́то бу́дет для него́ необы́чный пода́рок. Наве́рное, ему́ понра́вится.
— А ба́бушке? Что ей купи́ть?
— Что ей нра́вится?
— Ей нра́вится реша́ть кроссво́рды... и слу́шать класси́ческую му́зыку...
— Тогда́ купи́ ей пласти́нку Шостако́вича. Сове́тские пласти́нки неплохи́е и о́чень дешёвые.

Take it in turns to be the Soviet friend. Ask about the relative in question, and try to give some reasons for your advice.

Dialogue 4

Petya and Natasha are standing outside **ЦУМ**...
1. What does Petya suggest doing now?
2. What idea does Natasha have?
3. What does Natasha choose to eat?
4. What does Petya choose to eat?

Пе́тя. Спаси́бо за по́мощь, Ната́ша. Дава́й пойдём в кафе́. Мне хо́чется пить. Не зна́ешь, где здесь кафе́-моро́женое?

Ната́ша. А мо́жет быть, пообе́даем? Уже́ три часа́. Мне о́чень хо́чется есть. Я зна́ю прекра́сную столо́вую недалеко́. О́чень дёшево, и ко́рмят дово́льно вку́сно.

В столо́вой

Пе́тя. Хорошо́, нет о́череди!

Ната́ша. Пе́тя, возьми́ подно́с — здесь самообслу́живание. Так, посмо́трим меню́... Что ты бу́дешь? Пе́рвое возьмёшь? А заку́ски?

Пе́тя. А что там есть?.. Моло́чный суп, суп овощно́й с ку́рицей... сала́т из огурцо́в и помидо́ров, бутербро́д с колбасо́й... Наве́рное, возьму́ сала́т и моло́чный суп.

Ната́ша. А я пе́рвое не бу́ду. О́чень ре́дко ем суп. Вот шашлы́к с ри́сом о́чень вку́сно вы́глядит. Мне шашлы́к... одно́ пиро́жное и... компо́т.

Пе́тя. Мне не о́чень нра́вится шашлы́к. Что ещё есть на второ́е?

Ната́ша. Жа́реная ры́ба с карто́шкой, ку́рица с гриба́ми...

Пе́тя. Прекра́сно. О́чень люблю́ грибы́. Возьму́ ку́рицу. А пото́м моро́женое... и чай с лимо́ном.

МЕНЮ	
Заку́ски	
Сала́т из огурцо́в и помидо́ров	16 коп.
Яйцо́ под майоне́зом	18 коп.
Бутербро́д с колбасо́й	25 коп.
Смета́на (100 г)	19 коп.
Пе́рвые блю́да	
Суп моло́чный	16 коп.
Суп овощно́й с ку́рицей	29 коп.
Суп горо́ховый с мя́сом	24 коп.
Вторы́е блю́да	
Соси́ски с макаро́нами	41 коп.
Котле́ты с карто́фельным пюре́	32 коп.
Ры́ба жа́реная с карто́фельным пюре́	37 коп.
Ку́рица с ри́сом	76 коп.
Ку́рица жа́реная с гриба́ми	1 руб. 92 коп.
Шашлы́к с ри́сом	1 руб. 50 коп.
Бифште́кс с тушёной капу́стой	28 коп.
Омле́т с сы́ром	45 коп.
Блины́ с варе́ньем	88 коп.
Сла́дкие блю́да	
Моро́женое	30 коп.
Пиро́женое	15 коп.
Напи́тки	
Чай с са́харом	4 коп.
Чай с лимо́ном	16 коп.
Компо́т	14 коп.
Ко́фе с молоко́м	22 коп.
Молоко́	10 коп.
Сок	
апельси́новый	30 коп.
я́блочный	14 коп.

128

Exercise 7

Look at the menu, then listen to the dialogue again and work out what Natasha and Petya will have to pay.

Exercise 8

Now listen to the **кассирша** ringing up their items. She overcharges each of them by 10 kopecks! Spot the mistaken price(s) in each case!

Exercise 9. Role Plays

Use the menu to make up role-plays, between two customers deciding what to order, or between a customer and a waiter (or person behind the counter). Imagine that only the waiter has the menu, and the customer must ask, e.g.:
— What sort of sandwiches have you got?
— What sort of omelettes have you got?
— What cold drinks have you got? etc.
or ask for prices, and try to order something to eat and drink for less than 30 kopecks, or a main meal and a sweet for less than a rouble, etc.!

Eating out

Everyone knows you can eat at a **кафе, буфет**, or **ресторан**, but often the best place to get a reasonable, cheap and quick meal in the Soviet Union is a **столóвая**, which can mean a 'canteen' or 'cafeteria' (as well as the dining room in a house).

A **буфет** is generally found in a hotel, theatre, railway station etc., and is usually

limited to light snacks and drinks.

A **кафе** can vary a lot. Some are quite posh, waiter-service establishments serving full meals. Often, however, they are just a sort of coffee-bar, serving only one or two drinks and two or three types of cake or sandwich. Sometimes they don't even have chairs—just high counter-type tables to stand at.

129

9—1648

The **столо́вая** also varies a lot, from the very basic to the quite sophisticated. Usually it is a self-service cafeteria serving full meals, but with a limited choice of dishes.

A full-blown **ресторáн**, especially in the evening, can turn out to be more like a restaurant, bar, disco, and night-club all rolled into one. Russians often settle down for a three or four hour stay, gradually working their way through the courses of the meal, interspersed with dancing to a live, and very loud band. So don't expect quick service!

A meal is divided into:

закýски — starters — usually cold snacks (**холóдные закýски**) comprising cold meat or fish and salad. They can be quite elaborate.

пéрвое блю́до — first course — mainly soups

вторóе блю́до — second or main course

слáдкое — sweet

напи́тки — drinks

The prices of main meals are quite low, and, surprisingly, don't vary greatly between the various types of establishment. So **кýрица с ри́сом** might cost, say, 76 ko-pecks in a **кафé** or **столóвая** and 2.40 in a top restaurant. Beware, though, the "zakuski trap": often the **закýски** in restaurants are specialities of the house, with caviar, rare types of fish or expensive cuts of meat, and they can cost two or three times as much as the main course!

Phrases to Learn (3)

1.

Мне хо́чется	есть. пить.

I'm	hungry (want to eat). thirsty (want to drink).

2.

Я	(о́чень) (не о́чень) (не) (совсе́м не)	люблю́	борщ. икру́. грибы́.
Мне		нра́вится	борщ. икра́.
		нра́вятся	грибы́.

I	like (a lot) (not much) (not) (not at all)	borsh. caviar. mushrooms.

3.

Я	не ре́дко ча́сто	ем	мя́со. ры́бу. суп.
		пью	молоко́.

I	don't rarely often	eat	meat. fish. soup.
		drink	milk.

Я никогда́ не	ел (а) борщ. пил (а) квас.

I've never tried	(eaten) borsh. (drunk) kvas.

4. At the restaurant:

У вас есть	свобо́дный стол?	
	стол на	два/три/четы́ре челове́ка? пять/шесть... челове́к?

Have you got a	free table?	
	table for	2/3/4? 5/6/7?

Мо́жно заказа́ть? Мне, пожа́луйста, шашлы́к. Нам, пожа́луйста, моро́женое.

Can I/we order? I'll have kebabs, please. We'll have ice-cream, please.

Принеси́те, Переда́йте,	пожа́луйста,	во́ду. счёт. нож. меню́. соль.

Please bring Please pass	a/the/some	water. bill. knife. menu. salt.

9*

Exercise 10. Mix-n-Match

How good are you at recognising Russian food? How quickly can you match the four pictures with the right names?

1. Щи со сметáной.
2. Котлéты с гарнúром.
3. Пельмéни.
4. Кýрица с рúсом.
5. Бифштéкс.
6. Шашлы́к.
7. Кýрица с жáреным картóфелем.
8. Блины́ с варéньем.
9. Сосúски с картóфельным пюрé.

Exercise 11

Listen to Petya and Natasha discussing what foods they like and dislike. Put a mark by each dish, in the correct column, using the following code:

	Natasha	Petya
Meatballs		
Red caviar		
Black caviar		
Beetroot soup		
Sour cream		
Apple juice		
Carrot juice		
Mushrooms		
Pancakes		

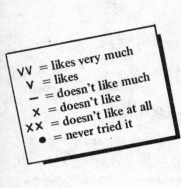

vv = likes very much
v = likes
− = doesn't like much
x = doesn't like
xx = doesn't like at all
● = never tried it

Now make a similar chart for yourself and a partner. Fill in your column and then ask each other questions to fill in your partner's column. (You can change the foods to some more standard English ones if necessary!)

Exercise 12. В рестора́не

The ten sentences below are all spoken by a customer ordering and eating a meal at a restaurant. Rearrange the order so that they make a sensible sequence from the time of arrival at the restaurant to the end of the meal.
(The **Ключ** gives one possible solution, but not necessarily the only one.)
The meal was not a particularly successful one! Can you identify three major complaints the customer makes?
If you want to be adventurous, you can then try to make up suitable responses for each line from the waiter, and try acting out the dialogue in pairs. For added interest, change some of the items ordered or requested.

1. Официа́нт! Где же наш у́жин? Мы заказа́ли его́ два́дцать мину́т наза́д!
2. Четы́ре шашлыка́ и оди́н бифште́кс, пожа́луйста.
3. Да́йте, пожа́луйста, меню́.
4. Нет, спаси́бо, сла́дкого не на́до.
5. Ско́лько сто́ит буты́лка кра́сного вина́?
6. Спаси́бо. Да́йте, пожа́луйста, счёт.
7. Здра́вствуйте. У вас есть стол на пять челове́к?
8. Э́тот бифште́кс холо́дный! Принеси́те горя́чий, пожа́луйста!
9. Пожа́луйста, прими́те зака́з.
10. Вино́ здесь о́чень дорого́е! Принеси́те, пожа́луйста, во́ду.

133

Exercise 13

1 — нож
2 — ви́лка
3 — ло́жка
4 — стака́н
5 — ча́шка
6 — таре́лка
7 — соль
8 — пе́рец
9 — вода́
10 — хлеб
11 — ма́сло
12 — варе́нье

Check that you can identify all the items on the table above (using the numbered list), then practice a) asking your partner to pass you various items, or b) asking the waiter to bring one of them (imagining that one of them is missing).

For **a)**, cover up the word list, then ask:
«Переда́й(те), пожа́луйста, . . .».
If your partner can say, «Пожа́луйста» and point to the correct item within three seconds she/he scores a point.
Then it is her/his turn to ask you to pass something.

For **b)**, either play the same way as for **a)**, but asking:
«Принеси́те, пожа́луйста, . . .»
or, taking it in turns, get your partner to close her/his eyes for a second while you cover up one of the items in the picture, (with your fingers or a scrap of paper) then see if she/he can ask you to bring the missing item within three seconds.

Vocabulary

BASIC

брать/взять to take
быва́ть to occur; ...не быва́ет = we don't stock it
взять to take; я возьму́ I'll take/buy it
всё all/everything; э́то всё? that's all/is that all?
гастроно́м grocery shop
дава́ть/дать to give; да́й(те)... = Can I have...
де́лать поку́пки to do shopping
де́ньги money
закрыва́ться/закры́ться to close
заплати́ть to pay
ка́сса till/checkout
касси́р/касси́рша cashier
купи́ть to buy
магази́н shop
моло́чный отде́л dairy department
мясно́й отде́л meat department
отде́л department/section
открыва́ться/откры́ться to open
о́чередь queue
плати́ть/заплати́ть to pay
пока́зывать/показа́ть to show
покупа́ть/купи́ть to buy
поку́пки shopping/purchases
посмотре́ть to have a look
ры́нок market
с... до... from... to (time)...
с вас... you owe...
самообслу́живание self-service
ско́лько с меня́? how much does it come to?

ско́лько сто́ит? how much is it?
сле́дующий next
слу́шать/послу́шать to listen
смотре́ть/посмотре́ть to see
универма́г department store
универса́м supermarket
чек receipt
эта́ж storey/floor

дари́ть/подари́ть to give (a present)
духи́ perfume
журна́л magazine
значо́к badge
карти́на picture
кни́га book
магнитофо́н tape-recorder
ма́рка stamp
матрёшка matryoshka doll
маши́на car
му́зыка music
откры́тка postcard
па́ра pair
пласти́нка record
плато́к scarf
пла́тье dress
подари́ть to give (a present)
пода́рок present
прия́тный pleasant/nice
сла́йды slides
сувени́р souvenir
су́мка bag

бифште́кс steak
блю́до dish/course
борщ borshch (beetroot soup)
бутербро́д sandwich

буфе́т buffet/snack bar
ви́лка fork
второ́е (блю́до) second course (main meal)
есть/съесть to eat
заку́ски starters
кафе́ café
котле́та meatball/cutlet
ку́хня cooking/kitchen
ло́жка spoon
макаро́ны macaroni
меню́ menu
моро́женое ice-cream
нож knife
обе́д lunch/dinner
обе́дать/пообе́дать to have lunch
омле́т omlette
официа́нт waiter
официа́нтка waitress
пе́рвое (блю́до) first course (soup)
пиро́жное cake
пить to drink
пообе́дать to have lunch
рестора́н restaurant
рис rice
сала́т salad
свобо́дный free/unoccupied
сла́дкое (блю́до) dessert
стака́н glass
стол table
столо́вая canteen/dining room
суп soup
счёт bill
таре́лка plate
у́жин supper/dinner

135

ча́шка cup

буты́лка bottle
вино́ wine
вода́ water
квас kvas
кока-ко́ла coca-cola
ко́фе coffee
лимона́д lemonade
минера́льная вода́ mineral water
молоко́ milk
пи́во beer
сок juice; апельси́новый сок orange juice; тома́тный tomato; фрукто́вый fruit; я́блочный apple
чай tea

апельси́н orange
бана́н banana
ба́нка jar/tin/can
бу́лочка (bread) roll
ветчина́ ham
грамм gramme
грибы́ mushrooms
икра́ caviar
капу́ста cabbage

карто́фель potato
карто́шка potato
килогра́мм kilogramme
колбаса́ sausage (salami)
конфе́та sweet
лимо́н lemon
ма́сло butter
мя́со meat
о́вощи vegetables
огуре́ц cucumber
паке́т packet
па́чка packet/box/pack
пе́рец pepper
помидо́р tomato
проду́кты food products/groceries
ры́ба fish
са́хар sugar
соль salt
сыр cheese
торт cake
фру́кты fruit
хлеб bread
я́блоко apple
яйцо́ egg

бе́лый white

вку́сный tasty
горя́чий hot
дорого́й expensive
доро́же more expensive
зелёный green
класси́ческий classical
краси́вый beautiful
кра́сный red
прекра́сный fine
си́ний dark blue
холо́дный cold
цвет colour
чёрный black
я́ркий bright

вме́сте together
день рожде́ния birthday
лицо́ face
молодо́й челове́к young man
незнако́мый unknown/a stranger
отли́чный excellent
писа́ть to write
письмо́ letter
по́мнить to remember
по́мощь help
цветы́ flowers

HIGHER

блины́ pancakes
бу́лочная baker's/bread shop
варе́нье jam
варёный boiled
еда́ food
жа́реный fried
зака́зывать/заказа́ть to order
компо́т compote/stewed fruit
коро́бка box
ку́рица chicken
лук onion
морко́вь carrots
напи́ток drink
передава́ть/переда́ть to pass
пече́нье biscuits
подно́с tray

полкилогра́мма half a kilogramme
приноси́ть/принести́ to bring
продово́льственный grocery (adj.)
смета́на sour cream
соси́ски sausages
шашлы́к 'shashlyk' (kebab)

бума́га paper
выбира́ть/вы́брать to choose
вы́бор choice
вы́глядеть to appear/look
деше́вле (чем) cheaper (than)
дешёвый cheap
заверну́ть to wrap up

Кавка́зские го́ры the Caucasus Mountains
ме́лочь small change/coins
меня́ть/поменя́ть to (ex)-change
мо́дный fashionable
напи́сано written
оде́жда clothes
поменя́ть to (ex)change
посове́товать to advise
разме́р size
реша́ть/реши́ть to decide
сда́ча change
сли́шком too
сове́товать/посове́товать advise

EXTRA

батаре́йка battery
бефстро́ганов Beef Stroganov
гарни́р garnish
голла́ндский Dutch
идти́: мне идёт it suits me; те-
бе́ идёт it suits you
кроссво́рд crossword
майоне́з mayonnaise
микрофо́н microphone
морко́вный сок carrot juice
наоборо́т on the contrary

пельме́ни pelmeni (kind of ra-
violi)
переры́в break/interval
примеря́ть/приме́рить to try on
(clothes)
пюре́ puree
сарди́ны sardines
сесть to run down (of batte-
ries);
батаре́йка се́ла the battery has
run out

солёный salty
сохрани́ть to keep
сохрани́ться to be kept
спи́сок list
типи́чный typical
фотоальбо́м book of photos
щи cabbage-soup
электро́нный electronic

Dialogue 1

1. Natasha is doing shopping.
2. She's going to Grocery Store Eliseevski on Tverskaya St.
3. He's got to buy a present, a typical Russian souvenir.
4. Tverskaya St.

Dialogue 2

1

1. Natasha asks Petya to get in the queue to the check-out.
2. Natasha is going to the meat department on the left by the entrance.

2

1. A kilo of meat — 2r; 0,5 kilo of sausage — 1r 45 k (3 r 45 k).
2. 2 bottles of milk — 60 k; 200 grammes of smetana (sour cream) — 34 k; 400 grammes of Dutch cheese — 1 r 20 k (2 r 14 k).
3. Meat for Beef, eggs, sausages.
4. 5r 59 k.
5. Small change (9 kopecks).

Exercise 1

Напи́тки	Мя́со	Бу́лочная	Óвощи — фру́кты	Молоко́
пи́во	ку́рица	бу́лочки	морко́вь	молоко́
минера́льная вода́	ветчина́	торт	лук	смета́на
фрукто́вый сок	котле́ты	чёрный хлеб	грибы́	сыр
квас	колбаса́	пече́нье	апельси́ны	ма́сло
			карто́фель	

Exercise 3

Basket 1

1 kg of bananas	2 r
2 packets of butter	1 r 40 k
1 carton of milk	38 k
300 grammes of cheese	90 k
10 eggs	90 k
	5 r 58 k

Basket 2

1 box of macaroni	60 k
0,5 kg of sausage	1 r 45 k
200 grammes of mushrooms	60 k
3 bread rolls	30 k
1 tin of sardines	70 k
	3 r 65 k

Basket 3

2 kg of potatoes	40 k
1 kg of onions	50 k
1 kg of carrots	20 k
700 grammes of tomatoes	1 r 75 k
1 cabbage	12 k
2 cucumbers	50 k
	3 r 47 k

Basket 4

black bread	20 k
2 packets of biscuits	1 r 20 k
5 packets of tea (Indian)	2 r 40 k
1 tin of red caviar	4 r 20 k
1 packet of sugar	52 k
black pepper	80 k
	9 r 32 k

Dialogue 3

A

1. Her mother buys them on the market as they're better, but you have to go there by bus.
2. His penfriend from England as it's her birthday.
3. Postcards of Moscow or a book of photos of Moscow.
4. A beautiful Russian shawl or perfume "Red Moscow".
5. A shawl as she's already got postcards and Natasha says you can't give perfume to an unknown girl.

B

1. A black shawl with red flowers. 2. 11 r 80 k. 3. 10 r. 4. 2nd floor. 5. 9 r 45 k.

Exercise 4

	Present	Price
Parents	Picture	12 r.
Grandpa	Pipe	
Grandma	Box of chocs	4 r.
Brother	Book about space	3 r. 50 k.
Sister	Bag	

Exercise 5

Item	When purchased	Nature of problem	Response offered by shop
1. Watch	This morning	Doesn't work	Exchange it
2. Shoes	Yesterday	Shoes are different sizes	Exchange them
3. Tape recorder	Monday	No microphone	Return tomorrow and get one
4. Hat	2 days ago	Too small	Give money back

Dialogue 4

1. Petya suggests going to a café as he's thirsty.
2. Natasha suggests eating in a **столóвая** (café/canteen) as she knows a good one nearby.
3. Kebab and rice, a cake, and stewed fruit (compote).
4. Salad, soup, chicken with mushrooms, ice-cream, and tea with lemon.

Exercise 8

Natasha: Cake (**пирóжное**) — 25 k instead of 15 k
Petya: Chicken (**кýрица**) — 1.97 instead of 1.92
　　　　Ice-cream (**морóженое**) — 35 k instead of 30 k

Exercise 11

	Natasha	Petya
Meatballs	V	X
Red caviar	V	VV
Black caviar	XX	VV
Beetroot soup	—	VV
Sour cream	—	V
Apple juice	X	XX
Carrot juice	V	●
Mushrooms	—	V
Pancakes	VV	X

Exercise 12

Order: 7—3—9—2—4—5—10—1—8—6
Complaints: Wine very expensive
　　　　　　Meal took over 20 minutes to arrive
　　　　　　Steak was cold

Unit 8

Dialogue 1

Дóма

It's Monday morning and Petya is still in bed...
1. What time is it?
2. What is the matter with Petya?
3. Has he got a temperature?
4. What medical problems has Maria Antonovna had recently?

Мáма. Пётр, порá вставáть, почти вóсемь часóв!

Пéтя. Не хóчется. Я плóхо себя чýвствую.

Мáма. Что с тобóй? Чтó-нибудь болит?

Пéтя. У меня живóт болит, и вообщé нездорóвится.

Мáма. А головá не болит? Нý-ка, широкó открóй рот и покажи мне гóрло!

Пéтя. Да нет, гóрло не болит, тóлько живóт.

Мáма. Тогдá обязáтельно нáдо измéрить температýру и вызвать врачá. Вот термóметр, а я идý звонить.

Пéтя. Стрáнно, но мне ужé, кáжется, лýчше.

Мáма. По-мóему, у тебя нет температýры. Иди к врачý сам, éсли мóжешь.

Пéтя. Да? Но я не знáю, где поликлиника.

Мáма. Счастливчик! А я ужé успéла узнáть. Я ужé два рáза былá у врачá, когдá спинá болéла.

Пе́тя. Ну, ма́ма, мне о́чень не хо́чется идти́ к врачу́.

Ма́ма. Дурачо́к! Ты всё ещё бои́шься врача́? Пойти́ к врачу́ обяза́тельно нужно!

В поликли́нике

Petya is at the clinic...

1. What three questions does the doctor ask him (after first finding out what is wrong)?
2. What was Petya doing yesterday?
3. What instructions does the doctor give about the medicine?
4. Can Petya go to school?
5. How does he feel about that?

Врач. Входи́те, молодо́й челове́к. Сади́тесь. Что с ва́ми?

Пе́тя. У меня́ немно́го боли́т живо́т.

Врач. Когда́ у вас заболе́л живо́т?

Пе́тя. Сего́дня у́тром.

Врач. Температу́ра была́?

Пе́тя. Нет, не́ было.

Врач. Это хорошо́. Посмо́трим ваш живо́т... Хм-м. По-мо́ему, всё норма́льно. Что вы е́ли вчера́?

Пе́тя. Вчера́? Мм-м-м... Был в лесу́ с друзья́ми, ел шашлы́к.

Врач. Поня́тно. Я вы́пишу вам реце́пт. Бу́дете принима́ть это лека́рство по столо́вой ло́жке три ра́за в день, пе́ред едо́й. Придёте ко мне че́рез три дня. А сего́дня лу́чше ничего́ не есть.

Пе́тя. А е́сли вдруг ста́нет ху́же?.. Мо́жет быть, мне лу́чше не идти́ сего́дня в шко́лу...

Врач. Молодо́й челове́к, я наде́юсь, что вам ста́нет лу́чше. По-мо́ему, ничего́ серьёзного нет. Мо́жно споко́йно идти́ в шко́лу.

Пе́тя. О́чень жаль! До свида́ния.

Врач. Бу́дьте здоро́вы, молодо́й челове́к!

Questions and Answers to Learn

1.

Как	ты себя́ чу́вствуешь? вы себя́ чу́вствуете?

Я чу́вствую себя́ Мне	пло́хо/хорошо́. ху́же/лу́чше.

How are you (feeling)?

I'm (feeling)	ill/fine. worse/better.

2.

Что с	тобо́й? ва́ми?

Что у	тебя́ вас	боли́т?

У меня́	боли́т	голова́/го́рло/живо́т/у́хо/спина́/рука́/нога́/зуб/глаз.
	боля́т	но́ги. глаза́.

What's the matter?   (What hurts?)

My	head/throat/stomach/ear/back/arm/hand/leg/ foot/tooth/eye	hurts.
	feet eyes	hurt.

i. e. I've got a	headache. sore throat etc.

3.

Ско́лько вре́мени Давно́	у тебя́ у вас	боли́т	голова́? го́рло?

У меня́ боли́т	голова́ го́рло	два/три/четы́ре дня. пять/шесть дней. це́лую неде́лю.

How long have you had a	headache? sore throat?

I've had a	headache sore throat	for	2/3... days. a week.

4.

Когда́	ты заболе́л (а) ? вы заболе́ли?
	заболе́л живо́т? заболе́ла голова́? заболе́ло го́рло?

Я заболе́л (а)	вчера́. позавчера́. три/четы́ре дня наза́д.
Живо́т заболе́л Голова́ заболе́ла Го́рло заболе́ло	

When	did you start feeling ill?
	did your	stomach-ache headache sore throat	start?

I started feeling ill			yesterday. the day before yesterday. 3/4 days ago.
My	stomach-ache headache sore throat	started	

5.

У тебя́ У вас	есть был (а́)	температу́ра? аппети́т?

У меня́	есть был (а́)	температу́ра. аппети́т.
У меня́	нет не́ было	температу́ры. аппети́та.

Have you got Did you have	a temperature? an appetite?

I've got I had	a temperature. an appetite.
I	haven't got didn't have	

6.

Когда́	мне ему́ ей	мо́жно идти́	на рабо́ту? в шко́лу? в бассе́йн?

Вам Ему́ Ей	мо́жно	идти́	на рабо́ту в шко́лу в бассе́йн.	че́рез три дня. за́втра. че́рез неде́лю.
	ну́жно на́до	принима́ть	лека́рство табле́тки	три ра́за пять раз	в день.
		лежа́ть	три дня. неде́лю. две неде́ли.		

When	can	I he she	go to	work? school? the swimming-pool?

You He She	can	go to	work school the swimming-pool	in 3 days. tomorrow. in a week.
	must have/has to	take	the	medicine tablets	3 5	times a day.
		stay in bed	for	3 days. a week. 2 weeks.

7.

Я хочу́	позвони́ть	в больни́цу. врачу́. зубно́му врачу́.
Мне	на́до ну́жно	вы́звать	врача́. „ско́рую по́мощь".
		пойти́	в апте́ку.

I want	to ring	the hospital. a doctor. a dentist.
I have I need	to call (out)	a doctor. an ambulance.
	to go to	the chemist's.

143

Exercise 1

Listen to four more patients at the **поликли́ника** describing their symptoms to the doctor. On the chart below, fill in:
a) what each one complains of,
b) what illness the doctor diagnoses and/or what treatment she recommends,
c) any things the doctor says the patient can/must or can't/mustn't do.

	Complaint(s)	Diagnosis/Treatment	Can/Can't
1.	*leg hurts*	*rest*	
2.	*throat headache*	*aspirin 3hhin aday*	*No work tomorrow well soon 2days*
3.	*left arm fell in street*	*xray*	*walk*
4.	*left ear*	*antibiotic 4 times a day*	*swim or shower*

Dialogue 2

On the way back from the clinic, Petya sees a large crowd on the corner of **у́лица Петро́вка**. He asks a passer-by what has happened.
1. Describe the accident which has occurred.
2. How is the young man injured?
3. What is the matter with the driver of the car?
4. How long did it take for the ambulance to arrive?

Пе́тя. Скажи́те, пожа́луйста, что случи́лось? Ава́рия?

Прохо́жий. Да. Челове́к попа́л под маши́ну! Переходи́л у́лицу на кра́сный свет.

Пе́тя. И что же с ним сейча́с?

Прохо́жий. Он, к сча́стью, жив, но не мо́жет встать. Ка́жется, слома́л но́гу и о́чень си́льно уда́рился голово́й.

Пе́тя. Э́то ещё ничего́, могло́ быть ху́же. А «ско́рую по́мощь» уже́ вы́звали?

Прохо́жий. Да, мину́т пять наза́д. Недалеко́ был милиционе́р. Он и вы́звал «ско́рую». Да вот они́ уже́ е́дут, ка́жется! Молодцы́! Бы́стро прие́хали!

Пе́тя. А кто э́то там стои́т ря́дом с пострада́вшим?

Прохо́жий. Э́то води́тель маши́ны. Он, ка́жется, то́же в шо́ке.

Exercise 2

Sasha, Borya, Vanya, Alyosha, and Seryozha have each suffered some grave misfortune. Listen to the recordings and see if you can identify each of the boys from the drawings below, and link them with the cause or setting of their injuries (i.e. write down a name, a number, and a letter, e.g., Alyosha — 1D).

10—1648

Exercise 3. "999?"

If you ever have to call an ambulance — or the police or fire brigade — in the Soviet Union, dialling 999 won't get you very far! Look at the photography of the pay-phone below and see if you can find out which number you need for each of the emergency services.

How much would the call cost you?

And how much would an ordinary call cost?

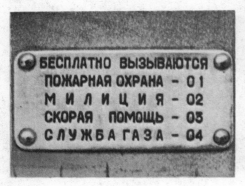

Exercise 4. Role Plays

Take it in turns to be Doctor and Patient.

Doctor	Patient

A

1. Ask how the patient is feeling.	1. Say you've got a sore throat.
2. Ask the patient to open his/her mouth...	2. "Aaaaaaa!"
3. Say you'll write a prescription and tell him/her to take the tablets three times a day.	3. Say thank you and that you understand. Ask whether it's all right to eat ice-cream.
4. Say that it's not all right (i. e. "you can't").	4. Ask where there is a chemist's nearby.
5. Say there's one right next to the clinic.	5. Say thank you and goodbye.

B

1. Ask whether the patient is feeling better today.	1. Say your throat is better but you've still got a temperature.
2. Say she/he must stay in bed for two more days.	2. Say it's boring all day in bed, and it makes your back ache.
3. Say she/he can sit up and read a good book!	3. Say you don't like reading. You prefer watching television!

C

1. Say "Come in and sit down" and ask what the matter is.	1. Say you fell down yesterday, and your left leg hurts.
2. Ask whether she/he has any pain in the head or eyes.	2. Say, no, you feel fine, but you can't walk!
3. Say she/he will have to go to the hospital. They'll probably have to operate (do an operation).	3. Say it's strange, but your leg already seems to be feeling better. You think you'll be able to get to the airport!

Exercise 5

Imagine you and your friend are in Moscow. Your friend has a terrible toothache. He doesn't know Russian. Read the announcement below and tell your friend where to go to a dentist.

СРОЧНАЯ СТОМАТОЛОГИЧЕСКАЯ ПОМОЩЬ ПРОТЕЗИРОВАНИЕ И ЛЕЧЕНИЕ

Адрес. ул. Новоалексеевская, 25, комплекс „Здоровье"
Телефон 286-51-84
Проезд: ст. метро „Щербаковская"

Лечебно-оздоровительный центр «Лекарственные растения и народная медицина»:

— ИСПОЛЬЗУЕТ в лечебной практике традиционные методы народной медицины: траволечение, иглорефлексотерапию, гомеопатию, гипнотерапию, биоэнергетическое (экстрасенсорное) воздействие, мануальную терапию;

— КОНСУЛЬТАЦИИ И ЛЕЧЕНИЕ взрослых и детей в поликлинике и на дому проводят высококвалифицированные специалисты из ведущих клиник и институтов столицы, кандидаты и доктора медицинских наук;

— ЕСЛИ Вы пожелаете вернуть себе белозубую улыбку времен Вашей юности, если хотите сохранить четкую артикуляцию и здоровый желудок, Вам помогут в этом наши стоматологи и ортопеды, применяющие ряд современных стоматологических и ортопедических методик (тел. 341-37-33, 425-64-11).

Если у вас гипертония, невроз, остеохондроз, то вы наконец... можете вздохнуть с облегчением. Этими и любыми другими болезнями займутся в московской клинике

«ЦЕЛИТЕЛЬ»

Ведущие медики Москвы быстро и точно поставят диагноз, с помощью самых современных методов проведут эффективное лечение.

Наряду с новейшими методами классической медицины, применяются и нетрадиционные: мануальная терапия, иридодиагностика, рефлексотерапия.

Здесь вам помогут избавиться от невроза и депрессии, устранить проблемы со сном, забыть об алкоголе и табаке, а также облегчат состояние при любых нервнопсихических расстройствах.

Атмосфера благожелательности, особого внимания и такта оставит у вас самые лучшие впечатления.

Справки и запись по телефонам: 234-36-52, 232-21-73.
Адрес: Варшавское шоссе, 12-а.

Удобнее всего проехать от ст. метро „Тульская" любым троллейбусом до остановки „Стадион „Труд".

«МЕДИНКУР»

при НИИ СП им. Н. В. Склифосовского предлагает консультации высококвалифицированных специалистов института: хирурга, кардиолога, стоматолога, сосудистого хирурга, невропатолога, нейрохирурга.

Наш адрес: Москва, Грохольский переулок, 12.

Vocabulary

BASIC

аппети́т appetite
апте́ка chemist's
аспири́н aspirin
боле́ть/заболе́ть to be/fall ill; to hurt/ache
больни́ца hospital
бо́льно painful
ва́нна bath
вода́ water
врач doctor
высо́кий high
заболе́ть to fall ill; to start aching/hurting
здоро́вый healthy
зубно́й врач dentist
ло́жка spoon
нездоро́вый unhealthy
открыва́ть/откры́ть to open
пока́зывать/показа́ть to show
поликли́ника clinic/health centre
посмотре́ть to look
посте́ль bed
раз time/once
столо́вая ло́жка tablespoon
смотре́ть/посмотре́ть to look at
табле́тка pill/tablet
температу́ра temperature
ча́йная ло́жка teaspoon
что с тобо́й/ва́ми? what's the matter with you?

чу́вствовать себя́ to feel
широко́ wide

глаз eye
голова́ head
го́рло throat
живо́т stomach
зуб tooth
ле́вый left
нога́ leg/foot
пра́вый right
рот mouth
рука́ arm/hand
спина́ back
у́хо ear

встава́ть/встать to get up
входи́ть to enter/come in
есть/съесть to eat
лежа́ть/полежа́ть to lie
ложи́ться/лечь to lie down
отдохну́ть to rest
пла́вать to swim
полежа́ть to lie
просыпа́ться/просну́ться to wake up
принима́ть/приня́ть to take (pills, etc.)
прихо́дится/придётся must/have to
приходи́ть/прийти́ to come/arrive (on foot)

сади́ться/сесть to sit down
станови́ться/стать to become/get
стоя́ть to stand
съесть to eat

бе́рег bank
бы́стрый fast
велосипе́д bicycle
води́тель driver
гора́ hill/mountain
дежу́рная person on duty receptionist
кра́сный red
ле́стница stairs/ladder
милиционе́р policeman
молоде́ц! well done!
молодо́й челове́к young man
мо́ре sea
переходи́ть/перейти́ to cross
поня́тно clear/understood
пора́ it's time
почти́ almost
си́льный strong/hard
случа́ться/случи́ться to happen
ударя́ть(ся)/уда́рить(ся) to hit
узна́ть to find out
у́лица street

HIGHER

ава́рия accident
вызыва́ть/вы́звать to call
звони́ть/позвони́ть to phone

мили́ция police
пожа́рная маши́на fire engine
«ско́рая по́мощь» ambulance

антибио́тики antibiotics
бе́дный poor
боя́ться to be afraid

149

грипп flu
еда́ food; пе́ред едо́й before meals
загора́ть/загоре́ть to sunbathe
измеря́ть/изме́рить to measure/take (a temperature)
ката́ться на лы́жах to go skiing
лека́рство medicine
лома́ть/слома́ть to break

наде́яться to hope
норма́льный normal
ожо́г burn/blister
опера́ция operation
па́дать/упа́сть to fall
попада́ть/попа́сть to get (in) to; попада́ть/попа́сть под маши́ну to be run over (by a car)
реце́пт prescription
сам/сама́/са́ми self/selves (myself/yourself/herself, etc.)

свет light
середи́на middle
серьёзный serious
слома́ть to break
со́лнечный ожо́г sun burn
споко́йно calmly/without worrying
стра́нно strange
тяжёлый serious/heavy
упа́сть to fall
энерги́чный energetic

EXTRA

выпи́сывать/вы́писать to write out (a prescription)
дурачо́к! silly goose!
инфе́кция infection
направле́ние referral (to hospital, specialist, etc.)
нездоро́виться to be ill/poorly

неуда́чно badly/unluckily
отвози́ть/отвезти́ to take (to hospital)
отдава́ть/отда́ть to give out
подверну́ть to twist/sprain
рентге́н X-ray
страда́ть/пострада́ть to suffer

счастли́вчик! lucky thing!
термо́метр thermometer
у́жас! how awful!
успева́ть/успе́ть to manage to/succeed in
шок shock

Dialogue 1

A

1. Nearly 8.00.
2. He's got stomach ache and generally feels unwell.
3. No.
4. She's had a bad back and already been to the clinic twice.

B

1. a) When did the stomach ache start?
   b) Did you have a temperature?
   c) What did you eat yesterday?
2. He went for a picnic (kebabs) in the forest with some friends.
3. He's got to take a tablespoon of the medicine 3 times a day before food.
4. Yes.
5. What a shame!

Exercise 1

Complaint(s)	Diagnosis/treatment	Can/can't
1. Feet aching — walking all day yesterday on excursion.	Not serious — rest in hotel today and tomorrow.	Mustn't walk a lot.
2. Headache, sore throat, slight temperature.	Flu — go to bed, take aspirin 3 times a day.	Can't go to work tomorrow. OK after 3 days if temperature not high.
3. Left arm hurts — fell down last night.	Maybe broken a bone. Have to go straight away for X-ray.	Can ring work to say he won't be in today.
4. Feels bad, ear-ache, started 2 days ago.	Ear infection. Prescription for antibiotics, 4 times a day for a week.	Mustn't swim or take shower. Can have bath if ear doesn't get wet.

Dialogue 2

1. A young man was crossing the road when the light was on red and he got run over.
2. He's hurt his head badly and apparently broken a leg.
3. He's in shock.
4. 5 minutes.

Exercise 2

1. Sasha — 3C
2. Alyosha — 1D
3. Vanya — 2E
4. Borya — 4A
5. Seryozha — 5B

Exercise 3

Fire brigade — 01; Police (militia) — 02; Ambulance — 03.
Emergency calls are free (без монёты).
Ordinary calls cost 2 kopecks.

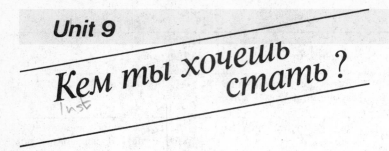

Unit 9

Кем ты хочешь стать?

Inst

Dialogue 1

It's Sunday, but Petya is working hard...

1. What is Petya doing?
2. What lessons does a) Zoya b) Petya have on Monday?
3. Which subjects does a) Zoya b) Petya like? Which are their favourite subjects?

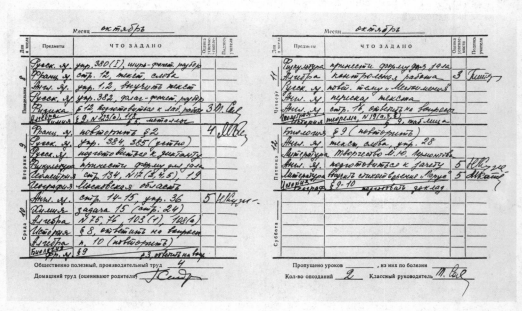

4. Which subject does a) Zoya b) Petya not like, and why?
5. Which subject does Petya find the easiest?

Зо́я. Что с тобо́й, Пе́тя? Ты забы́л, что сего́дня воскресе́нье? Что ты де́лаешь?

Пе́тя. Гото́влю уро́ки на за́втра. О́чень тру́дное зада́ние по матема́тике, и вообще́ у меня́ на за́втра о́чень мно́го дома́шних зада́ний.

Зо́я. Каки́е же у тебя́ уро́ки за́втра?

Пе́тя. Матема́тика, англи́йский, геогра́фия, хи́мия и фи́зика. А у тебя́?

Зо́я. Физкульту́ра, исто́рия, биоло́гия и ру́сский язы́к. Како́й у тебя́ люби́мый предме́т?

Пе́тя. Мне нра́вится англи́йский и матема́тика, но мой са́мый люби́мый предме́т — хи́мия. Э́то ужа́сно интере́сно! А тебе́?

Зо́я. Мне нра́вится физкульту́ра и исто́рия, а са́мый люби́мый предме́т — геогра́фия. Мне не нра́вится англи́йский — учи́тельница о́чень стро́гая. А по-тво́ему, Петь, како́й предме́т са́мый лёгкий?

Пе́тя. По-мо́ему, биоло́гия. Стра́нно, что тебе́ нра́вится геогра́фия. Э́то о́чень ску́чный предме́т! Но мне пора́ занима́ться.

Зо́я. Ка́жется, ты переста́л лени́ться и захоте́л стать отли́чником?

Пе́тя. Не меша́й занима́ться!

Месяц	апрель			
Дни и числа	Предметы	ЧТО ЗАДАНО	Оценка успеваемости	Подпись учителя
3	Алгебра	N 1062 (5), N 836		
	Франц. яз.	текст, стр. 45 упр. 4 (письм.)	3	
	Англ. яз.	текст, стр. 167 слова		
	Русск. яз.	§ 51, упр. 532 (1)		
	Физика	§ 49, вопрос		
	Русск. яз.	упр. 540, задачи 1,2,7		
4	Франц. яз.	текст, ч. 2		
	Русск. яз.	упр. 539 (устно)		
	Русск. яз.	сочинение	5/4	
	Физкультура	форма для зала		
	Геометрия	§ 15-18 (повтор.) N 50, 54		
	География	Природно-террит. комплекс		
5	Англ. яз.	контрольная работа		
	Химия	зачет: Окисл. из-ва	4	
	Алгебра	N 1097, 1111, 182 (5)		
	История	§ 27. Россия в конце XII в.		
	Алгебра	N 828, 853, 854 (5)		
	Биология	повторить, пересказать текст		

Общественно полезный, производительный труд ___5___
Домашний труд (оценивают родители) _____

Месяц	апрель			
Дни и числа	Предметы	ЧТО ЗАДАНО	Оценка успеваемости	Подпись учителя
6	Физкультура			
	Алгебра	контрольная работа		
	Русск. яз.	сочинение		
	Англ. яз.	подготовить рассказ		
	Англ. яз.	на тему „Мой дом"	4	
	География	выучить теорему		
	Биология	лабораторная работа		
	Англ. яз.	стр. 152, упр. 5 (а,б)		
	Литература	А. Чехов. Вишневый сад		
	Англ. яз.	повторить текст, слова		
	Литература	Художественные особенности		
	История	Зачет. заполнить контур. карту	2	

Пропущено уроков ___2___, из них по болезни ___2___
Кол-во опозданий _____ Классный руководитель _____

153

Questions and Answers to Learn (1)

1.

В како́м кла́ссе ты у́чишься?

Я учу́сь в (во)	пе́рвом/второ́м/тре́тьем/четвёртом/пя́том...	кла́ссе.

What year are you in?	I'm in the	first/second/third/fourth/fifth...	year.

2.

Что	ты изуча́ешь? / вы изуча́ете?	Я изуча́ю / Мы изуча́ем	фи́зику/исто́рию/ру́сский язы́к...

Чем	ты занима́ешься? / вы занима́етесь?	Я занима́юсь / Мы занима́емся	фи́зикой/исто́рией/ру́сским языко́м...

What do you do/study?	I / We	do/study	physics/history/the Russian language...

3.

Каки́е иностра́нные языки́	ты	зна́ешь? / изуча́ешь?	Я	зна́ю изуча́ю	ру́сский англи́йский	язы́к.
	вы	зна́ете? / изуча́ете?		говорю́	по-ру́сски. / по-англи́йски.	

What foreign languages do you	know? / study?	I	know study speak	Russian. English.

4.

Ско́лько вре́мени	ты изуча́ешь	фи́зику/ру́сский язы́к?
	ты занима́ешься	фи́зикой/ру́сским языко́м?

Я	изуча́ю	фи́зику/ру́сский язы́к	оди́н год. два/три/четы́ре/го́да. пять/шесть... лет.
	занима́юсь	фи́зикой/ру́сским языко́м	

How long have you been studying physics/Russian?	— For 1/2/3... years.

5.

Како́й предме́т	тебе́ вам	(не)	нра́вится? / нра́вятся?	Мне	(не)	нра́вится англи́йский язы́к. нра́вятся матема́тика и хи́мия.
Каки́е предме́ты	ты вы		лю́бишь? / лю́бите?	Я		люблю́ англи́йский язы́к. матема́тику и хи́мию.

Which subject Which subjects	do (don't)	you like?	I (don't) like	English. maths and chemistry.

6.

Како́й предме́т	тебе́	бо́льше	нра́вится?	Мне нра́вится исто́рия бо́льше, чем хи́мия.
	ты		лю́бишь?	Я люблю́ исто́рию бо́льше, чем хи́мию.

Which subject do you prefer?	I prefer	history	to	chemistry.
	I like		more than	

7.

Какой предмет	тебе	больше всего	нравится?	Мне	больше всего	нравится физика.
	ты		любишь?	Я		люблю физику.

Which subject do you like best?	I like physics best.

8.

Какой у тебя самый любимый предмет?	Мой самый любимый предмет — история.

What's your favourite subject?	My favourite subject is history.

9.

По-твоему, По-вашему,	какой предмет самый	трудный? лёгкий? скучный? интересный?

По-моему, самый	трудный лёгкий скучный интересный	предмет —	биология. история. математика.

Which subject do you think is the	hardest? easiest?	
	most	boring? interesting?

I think	biology history maths	is the	hardest easiest		subject.
			most	boring interesting	

10.

Какие у	тебя вас	уроки	сегодня? завтра? в понедельник? в среду?	Сегодня Завтра В понедельник В среду	у меня физкультура и музыка.

What subjects do you have	today? tomorrow? on Monday? on Wednesday?	Today Tomorrow On Monday On Wednesday	I have P. E. and music.

11.

Какие уроки Что	тебе надо	сделать? приготовить?	Мне надо	сделать приготовить	географию и литературу.

Which lessons What homework	must you	prepare? do?	I must	prepare do	geography and literature.

Расписа́ние уро́ков

This is Petya's timetable.

	Понеде́льник	Вто́рник	Среда́	Четве́рг	Пя́тница
1-й уро́к 8.30 — 9.10	Ру́сский язы́к	Франц. язы́к	Англ. язы́к	Физкульту́ра	Биоло́гия
2-й уро́к 9.20 — 10.00	Англ. язы́к	Ру́сский язы́к	Хи́мия	А́лгебра	Англ. язы́к
3-й уро́к 10.15 — 10.55	Франц. язы́к	Ру́сский язы́к	А́лгебра	Ру́сский язы́к	Литерату́ра
4-й уро́к 11.10 — 11.50	Ру́сский язы́к	Физкульту́ра	Исто́рия	Англ. язы́к	Англ. язы́к
5-й уро́к 12.00 — 12.40	Фи́зика	Геоме́трия	А́лгебра	Англ. язы́к	Литерату́ра
6-й уро́к 12.50 — 13.30	А́лгебра	Геогра́фия	Биоло́гия	Геоме́трия	Исто́рия
7-й уро́к 13.40 — 14.20	Хи́мия		Франц. язы́к.	Исто́рия	Геогра́фия

You may be surprised to see that Soviet children have no breaks or lunch hour! In fact each lesson lasts only 40 minutes and is followed by a 10 or 15 minute break (**переме́на**) — time to grab a snack (called **второ́й за́втрак** or second breakfast) at the cafeteria and get to the next lesson, or to have a quick rest. Lunch is served in the cafeteria from 12 onwards and pupils are expected either to eat it after the last lesson or to go home to eat. Younger children have fewer lessons, Zoya has only six or seven lessons a day.

The Soviet school year is divided into four "terms", each called a **че́тверть.** The first of these begins on the 1st of September and continues until the first week in November, when there is a week's holiday for the 7th November celebrations (anniversary of the Revolution). The second "term" lasts until the end of December when there is another 10 days' holiday for New Year. The third "term" lasts until March, when there is another week's holiday and the school year ends at the end of May, followed by 3 months of Summer holidays!

Look at the timetable and answer these questions:

1. Which lessons do Petya and you both have?
2. How many subjects does Petya study? Does he study more or less subjects than you?
3. As you can see Soviet pupils go to school five days a week too and only until lunchtime! Do they in fact have less hours of school than you? (Work it out!)

Exercise 1

Listen to some children telling you about what they do at school. Fill in as much information as you can on the charts. (If you think no information is given for a particular box, put an *.)

Name	Which class?	What subjects?	Favourite subject	Why?	Foreign language	How long studied?
Sergei	8	Ph. R. Maths B.H	History		Frend	4
Tanya						
Vitaly						
Lyuba						

Dialogue 2

A foreign delegation is visiting Petya's school and Petya and his friends are showing them around the school. Petya is asked lots of questions by his visitor about school routine. Listen to the dialogue and write down as many things as you can which are different from your school. After you have listened to the dialogue pretend you are showing a Soviet visitor around your school and with your partner practise asking and answering the questions on the next two pages.

Гость. Скажи, пожалуйста, Петя, твоя школа обычная или специальная?

Петя. Я учусь в спецшколе.

Гость. Здесь учатся и мальчики и девочки вместе?

Петя. Да. У нас все школы для мальчиков и девочек.

Гость. Петя, в каком классе ты?

Петя. Я в восьмом классе, мне пятнадцать лет.

Гость. А когда начинается и кончается у вас учебный год?

Петя. Учебный год начинается 1 сентября и кончается в конце мая. У нас неделя каникул в ноябре и в марте, две недели в начале января и три месяца летом.

Гость. А в котором часу у вас начинаются занятия?

Петя. Занятия начинаются в 8. 30 утра и кончаются в 2. 20 дня.

Гость. Сколько минут длится урок?

Петя. Урок длится сорок минут. У нас шесть или семь уроков в день. После каждого урока — перемена, десять или пятнадцать минут.

Гость. У вас в школе есть спортзал?

Петя. Да, есть. Вы хотите посмотреть его?

Гость. Пойдём посмотрим. Какими видами спорта вы занимаетесь?

Петя. В школе в первой и во второй четвертях мы занимаемся гимнастикой, в третьей четверти — лыжами, а в четвёртой — лёгкой атлетикой.

Гость. Ты играешь в какой-нибудь школьной команде?

Петя. Да, в волейбольной команде.

Гость. А летом вы ездите куда-нибудь на экскурсии?

Петя. Да, мы ездим на экскурсии по Москве и Подмосковью. Вот и спортзал. Давайте войдём...

Школа

Questions and Answers to Learn (2)

1.

Кака́я э́то	шко́ла?	Э́то	общеобразова́тельная граммати́ческая ча́стная	шко́ла	для	ма́льчиков и де́вочек. ма́льчиков. де́вочек.

Где В како́й шко́ле	ты у́чишься? вы у́читесь?	Я учу́сь в	общеобразова́тельной граммати́ческой ча́стной	шко́ле.

What sort of school do you go to?	It is a	comprehensive grammar private	school	for	boys and girls. boys. girls.

	I go to a	comprehensive grammar private	school.

2.

Когда́	начина́ется конча́ется	уче́бный год? переме́на? обе́денный переры́в?	Уче́бный год Переме́на	начина́ется конча́ется	1 сентября́. в полдевя́того. в де́вять часо́в.
	начина́ются конча́ются	уро́ки? заня́тия?	Уро́ки Заня́тия	начина́ются конча́ются	в три часа́. в конце́ ма́я.

When	does	the school year break lunch time	begin? end?	The school year Break	starts ends	on September 1st. at 8.30. at 9.00.
	do	lessons		Lessons	start end	at 3.00. at the end of May.

3.

Ско́лько у	тебя́ вас	уро́ков в день?	У	меня́ нас	два/три/четы́ре уро́ка пять/шесть... уро́ков	в день.

How many lessons do you have in a day?	I We	have	2/3/4/5 lessons a day.

4.

Ско́лько	дли́тся	ка́ждый уро́к? обе́денный переры́в?	Уро́к Переры́в	дли́тся	45 мину́т. час.
	дли́тся ле́тние кани́кулы?		Кани́кулы для́тся		три ме́сяца. шесть неде́ль.

How long	is	each lesson? the lunch break?	A lesson The break	lasts	45 minutes. an hour.
	are the Summer holidays?		The holidays last		3 months. 6 weeks.

159

5.

Когда́ у	тебя́ вас	переме́на? кани́кулы?

У нас	переме́на	в конце́ ка́ждого уро́ка.
	кани́кулы	в ноябре́/в ма́рте. весно́й/ле́том.

When do you have	break? holidays?

We have	break	at the end of each lesson.
	holidays	in November/in March. in the Spring/Summer.

6.

У вас в шко́ле есть	библиоте́ка? лаборато́рия? спортза́л?

Да, у нас есть	библиоте́ка. лаборато́рия. спортза́л.
Нет, у нас нет	библиотеки. лаборатории. спортзала.

Have you got	a library a laboratory a gym	in your school?

Yes, we've got a No, we haven't got a	library. laboratory. gym.

7.

Каки́ми ви́дами спо́рта	ты занима́ешься? вы занима́етесь?

Я занима́юсь Мы занима́емся	нетбо́лом/кри́кетом. гимна́стикой/атле́тикой. ре́гби/дзюдо́. ша́хматами.

What kinds of sport do you do/play?

I We	do/play	netball/cricket. gymnastics/athletics. rugby/judo. chess.

8.

Ты игра́ешь в шко́льной кома́нде?

Да,	я	игра́ю в волейбо́льной	кома́нде.
Нет,		не игра́ю в шко́льной	

Do you play in a school team?

Yes, I play in the volleyball team. No, I don't play in a school team.

9.

Вы е́здите на экску́рсии?

Да,	мы	е́здим на экску́рсии. е́здили во Фра́нцию/в СССР.

Do you go on trips?

Yes, we go on trips. Yes, we've been to France/the USSR.

Exercise 2. План шко́лы

Here is a plan of Petya's school. Imagine you are standing by the entrance and five strangers are given directions to different parts of the school. Listen to the tape and look at the map and see if you can work out where they are going...

Now see if you can direct some visitors to:
1. The Headmaster's study.
2. Sick bay.
3. The library.
4. The hall.
5. The toilets.

NB! You will find lots of useful vocabulary in Unit 5.

Dialogue 3

Monday morning Petya is in Maths...
1. What does the teacher ask Petya to do?
2. What does the teacher ask Alyosha to do?
3. What do the rest of the class do?
4. What marks do Petya and Alyosha get?

Учи́тельница. Входи́те, пожа́луйста. До́брое у́тро, ребя́та.

Ученики́. Здра́вствуйте, Мари́я Васи́льевна.

Учи́тельница. Сади́тесь, пожа́луйста. Мы начина́ем с дома́шнего зада́ния. Пе́тя, ты пригото́вил уро́к?

Пе́тя. Да, Мари́я Васи́льевна.

Учи́тельница. Хорошо́, иди́ к доске́ и реша́й зада́чу но́мер 304.

Пе́тя. Хорошо́, Мари́я Васи́льевна.

Учи́тельница. Пра́вильно. А ты, Алёша, реша́й у доски́ сле́дующую зада́чу.

Алёша. Ну, Мари́я Васи́льевна...

Учи́тельница. Пожа́луйста, пожа́луйста, Алёша. Я давно́ тебя́ не спра́шивала. (*Кла́ссу.*) Пока́ Пе́тя и Алёша рабо́тают у доски́, мы повтори́м теоре́му. Откро́йте, пожа́луйста, уче́бник на страни́це 67. (*Па́уза.*) Отли́чно, Пе́тя, ста́влю тебе́ «пятёрку. А как твои́ дела́, Алёша?

Алёша. Я забы́л, как реша́ть зада́чу.

Учи́тельница. О́чень пло́хо, Алёша, «дво́йка». Кто мо́жет реши́ть зада́чу? Ты, Ната́ша? Пожа́луйста, иди́ к доске́!

Marks (отме́тки) in Soviet Schools

In the Soviet education system pupils and students are always marked out of 5. 5 is the top mark and 1 (which is rarely given) is the bottom mark. There are special words for the marks:

5: «пятёрка» — отли́чно

4: «четвёрка» — хорошо́

3: «тро́йка» — удовлетвори́тельно (зна́чит: непло́хо)

2: «дво́йка» — пло́хо

1: «едини́ца» — о́чень пло́хо

Useful Classroom Vocabulary

Входи́те/входи́, пожа́луйста! Come in please!

Выходи́те/выходи́ Go out

Сади́тесь/сади́сь Sit down

Вста́ньте/встань Stand up

Иди́те/иди́ к доске́ Go to the blackboard

Пиши́те/пиши́ отве́т Write the answer

Повтори́те/повтори́ Repeat

Чита́йте/чита́й Read

Задава́йте/ задава́й вопро́сы Ask questions

Разда́йте/разда́й тетра́ди Give out the exercise books

Переведи́те/ переведи́ Translate

Возьми́те кни́гу/кни́ги Take your book/books

Возьми́ уче́бник/ уче́бники Take your textbook/textbooks.

        тетра́дь/тетра́ди   exercise book/books

        ру́чку/ру́чки   pen/pens

        каранда́ш/карандаши́   pencil/pencils

        лине́йку/лине́йки   ruler/rulers

        слова́рь/словари́   dictionary/dictionaries

        мел   the chalk

Откро́йте/откро́й уче́бник на страни́це... Turn to page...

Реша́йте/реша́й зада́чу Solve the problem

Пра́вильно! That's right!

Непра́вильно! That's not right!

Exercise 3. Игра́

Now play this game with a partner to see how well you would survive in a Russian classroom!

Pretend that one of you is the teacher and the other a pupil. The teacher must give the pupil five commands from the list below and the pupil must carry out each command within 10 seconds. The teacher must say after each one (in Russian!) whether the pupil has got it right or not and at the end give a mark in Russian (see on page 162). Then swap roles.

Who got the best score?

You could also play this game in teams, naming the person in the other team who you wish to carry out the command!

Dialogue 4

Petya and Natasha are discussing the future...

1. What job does Petya want to do?
2. What job does Natasha want to do?
3. Why doesn't Natasha want to work in a school?
4. Where could Natasha study?
5. At which two places could Petya study?
6. Why must they both work hard now?

Ната́ша. Пе́тя, ты кем хо́чешь стать?

Пе́тя. Хочу́ стать инжене́ром-хи́миком, как моя́ ма́ма. А ты?

Ната́ша. Я хочу́ преподава́ть иностра́нный язы́к в институ́те.

Пётя. А почему́ не в шко́ле?

Ната́ша. По-мо́ему, со шко́льниками рабо́тать не интере́сно, они́ ещё ма́ленькие.

Пётя. Зна́чит, тебе́ на́до поступа́ть в институ́т иностра́нных языко́в?

Ната́ша. Но я могу́ поступа́ть в университе́т, в МГУ и́ли в педагоги́ческий университе́т. А ты? Куда́ бу́дешь поступа́ть?

Пётя. Наве́рно, то́же в МГУ и́ли пое́ду в Ленингра́д поступа́ть в технологи́ческий институ́т.

Ната́ша. Нет, поступа́й лу́чше в МГУ, и бу́дем учи́ться в одно́м университе́те! Бу́дет здо́рово!

Пётя. Мо́жет быть... Но пока́ нам на́до око́нчить шко́лу!..

Questions and Answers to Learn (3)

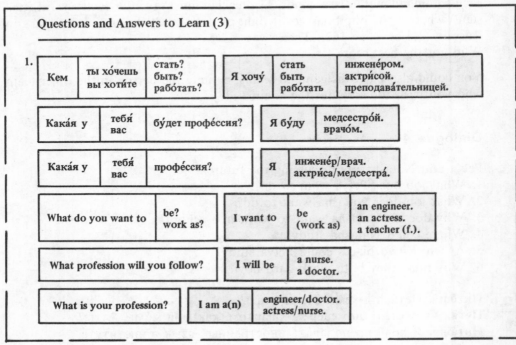

| 1. | Кем | ты хо́чешь вы хоти́те | стать? быть? рабо́тать? | Я хочу́ | стать быть рабо́тать | инжене́ром. актри́сой. преподава́тельницей. |

| Кака́я у | тебя́ вас | бу́дет профе́ссия? | Я бу́ду | медсестро́й. врачо́м. |

| Кака́я у | тебя́ вас | профе́ссия? | Я | инжене́р/врач. актри́са/медсестра́. |

| What do you want to | be? work as? | I want to | be (work as) | an engineer. an actress. a teacher (f.). |

| What profession will you follow? | I will be | a nurse. a doctor. |

| What is your profession? | I am a(n) | engineer/doctor. actress/nurse. |

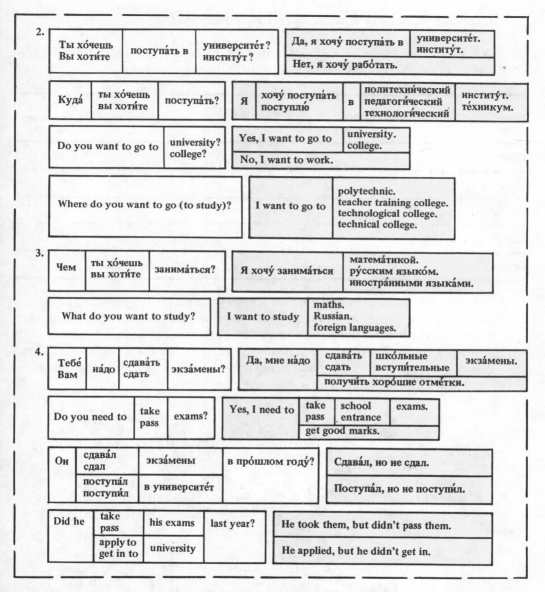

2.

Ты хо́чешь Вы хоти́те	поступа́ть в	университе́т? институ́т?

Да, я хочу́ поступа́ть в	университе́т. институ́т.
Нет, я хочу́ рабо́тать.	

Куда́	ты хо́чешь вы хоти́те	поступа́ть?

Я	хочу́ поступа́ть поступлю́	в	политехни́ческий педагоги́ческий технологи́ческий	институ́т. те́хникум.

Do you want to go to	university? college?

Yes, I want to go to	university. college.
No, I want to work.	

Where do you want to go (to study)?	I want to go to	polytechnic. teacher training college. technological college. technical college.

3.

Чем	ты хо́чешь вы хоти́те	занима́ться?

Я хочу́ занима́ться	матема́тикой. ру́сским языко́м. иностра́нными языка́ми.

What do you want to study?	I want to study	maths. Russian. foreign languages.

4.

Тебе́ Вам	на́до	сдава́ть сдать	экза́мены?

Да, мне на́до	сдава́ть сдать	шко́льные вступи́тельные	экза́мены.
	получи́ть хоро́шие отме́тки.		

Do you need to	take pass	exams?

Yes, I need to	take pass	school entrance	exams.
	get good marks.		

Он	сдава́л сдал	экза́мены	в про́шлом году́?
	поступа́л поступи́л	в университе́т	

Сдава́л, но не сдал.

Поступа́л, но не поступи́л.

Did he	take pass	his exams	last year?
	apply to get in to	university	

He took them, but didn't pass them.

He applied, but he didn't get in.

NB! Note particularly the use of the **Imperfective** and **Perfective** verbs in the case of **сдава́ть/сдать** and **поступа́ть/поступи́ть** on this page:

The **Imperfective** ones—**сдава́ть** and **поступа́ть**—mean: 'to take an exam' and 'to apply to a university', i. e. to try, but not necessarily succeed.

The **Perfective** ones—**сдать** and **поступи́ть**—mean: 'to pass an exam' and 'to get into university', i. e. to **achieve a result.**

Exercise 4. Кака́я у тебя́ бу́дет профе́ссия?

A form teacher in a Soviet school is giving careers interviews to his pupils. Listen to the dialogues on the tape and fill in the chart below:

Name	Future career	Higher education? Where?	What must they do now?
Йгорь			
А́нна			
Све́та			
Бори́с			
Серёжа			

When you have filled in the table use it with your partner to practise asking and answering the questions on the previous page and this page. Take it in turns to be one of the pupils above and the teacher. You could also find out what your partner's real career plans are and (if your teacher doesn't mind) move around your classroom interviewing and being interviewed by as many other people in your class as you can.

Письмо́ от Са́лли

Now answer these questions:

1. Which subject does Sally mention as an example of something English pupils study and Soviet don't?
2. Which subjects does Sally like and which is her favourite?
3. Which subject doesn't she like and why not?
4. What type of school does she attend?
5. What facilities does her school possess?
6. Which sports does she play and is she in any teams?
7. What career does she hope to have?
8. Where can she study and which subject will she study?

115 Longley Lane,
Sheffield
15 мая

Петя, здравствуй!
Спасибо большое за твоё письмо и за копию твоего расписания уроков. Мне очень интересно знать, какие занятия у советских школьников. Я тебе посылаю копию своего расписания уроков. Мой любимый предмет — русский язык, мне также нравится французский язык и история. Мне не нравится физика — это очень трудный предмет.

Я учусь в обычной общеобразовательной школе для мальчиков и девочек. У нас в школе есть спортзал, лаборатории и библиотека. Я люблю спорт и занимаюсь нетболом и хоккеем на траве. Я играю в хоккейной команде.

Я хочу стать переводчиком. Мне надо поступать в университет или в политехнический институт, чтобы заниматься языками. Может быть, когда-нибудь я буду учиться в МГУ с тобой? А теперь мне надо много заниматься и хорошо сдать экзамены.

Пиши мне скорее о том, что ты любишь делать в свободное время!
Всего хорошего!
Салли.

167

Vocabulary

BASIC

англи́йский язы́к English
биоло́гия biology
вид спо́рта a sport
волейбо́л volleyball
геогра́фия geography
гимна́стика gymnastics
гото́вить/пригото́вить уро́ки to prepare lessons/do homework
дзюдо́ judo
дома́шнее зада́ние homework *(s.)*
занима́ться to study/do
игра́ть to play
изуча́ть to study (a subject)
иностра́нный язы́к foreign language
интере́сный interesting
исто́рия history
кома́нда team
кри́кет cricket
ле́кция lecture
лёгкая атле́тика track and field athletics
лёгкий easy
литерату́ра literature
люби́мый favourite
матема́тика maths
му́зыка music
неме́цкий язы́к German
нетбо́л netball
предме́т subject
пригото́вить to prepare
ре́гби rugby

ру́сский язы́к Russian
ску́чный boring
тру́дный difficult
уро́к lesson
учи́ться to study (i.e. go to school)
фи́зика physics
физкульту́ра P.E.
францу́зский язы́к French
хи́мия chemistry
хокке́й ice-hockey
хокке́й на траве́ hockey (on grass)
ша́хматы chess
язы́к language

библиоте́ка library
де́вочка/де́вушка girl
кабине́т room/office
ка́ждый each/every
кани́кулы holidays
класс class/form/year (at school)
коне́ц end
конча́ть(ся)/ко́нчить(ся) to finish
коридо́р corridor
лаборато́рия laboratory
ле́то Summer
ма́льчик boy
нача́ло start
начина́ть(ся)/нача́ть(ся) to begin/start
обе́денный переры́в lunch break

переме́на break
ско́лько вре́мени? *here:* how long?
спортза́л sports hall
столо́вая canteen
студе́нт student *(m.)*
студе́нтка student *(f.)*
уче́бный год academic year
учени́к pupil *(m.)*
учени́ца pupil *(f.)*
учи́тель teacher *(m.)*
учи́тельница teacher *(f.)*
че́тверть quarter/term
шко́ла school
шко́льник pupil *(m.)*
шко́льница pupil *(f.)*
шко́льный school *(adj.)*

доска́ blackboard
каранда́ш pencil
кни́га book
лине́йка ruler
мел chalk
ме́сто place
па́рта desk
ру́чка pen
слова́рь dictionary
тетра́дь exercise book
уче́бник textbook

актри́са actress
врач doctor
инжене́р engineer
институ́т college/institute
медсестра́ nurse

о́бласть area/field (of knowledge)
официа́нт waiter
официа́нтка waitress
поступа́ть в институ́т/университе́т to apply to/try to get into
поступи́ть в институ́т/университе́т to get into/start at
преподава́тель teacher (in institute) *(m.)*
преподава́тельница teacher (in institute) *(f.)*
профе́ссия profession
рабо́чий factory worker

сдава́ть экза́мен (сдаю́, сдаёшь) to take an exam
сдать экза́мен (сдам, сдашь) to pass an exam
стать to become
университе́т university
экза́мен exam

вопро́с question
забыва́ть/забы́ть to forget
написа́ть to write
непра́вильно incorrect
отве́т answer
открыва́ть/откры́ть to open
писа́ть/написа́ть to write

повторя́ть/повтори́ть to repeat/revise
пра́вильно correct
спра́шивать/спроси́ть to ask
чита́ть/прочита́ть to read

входи́ть/войти́ to go in/enter
гото́в ready *(m.)*
гото́ва ready *(f.)*
ду́мать to think
по́мощь help
ребя́та kids
свобо́дное вре́мя free time
то́чно exactly
экску́рсия excursion

HIGHER

бу́дущий future
выбира́ть/вы́брать to choose
гардеро́б cloakroom
граммати́ческий grammar *(adj.)*
доста́точно enough/sufficient
задава́ть/зада́ть вопро́с to ask a question
зада́ние task
зада́ча problem
заня́тия lessons
ле́тний Summer *(adj.)*
лы́жи skis
меша́ть to disturb/hinder
нау́ка science

общеобразова́тельный comprehensive
обы́чный normal/ordinary
оконча́ние end
отли́чно! excellent!
отме́тка mark
переводи́ть/перевести́ to translate
перево́дчик translator
переста́ть to stop/cease
подня́ться to ascend/go up
пока́ for now
поста́вить to give (a mark)
расписа́ние уро́ков timetable
реша́ть/реши́ть зада́чу to solve a problem

сле́дующий next/following
сло́во word
сове́т advice
сове́товать to advise
согла́сен/согла́сна agreed/in agreement
ста́вить/поста́вить to give (a mark)
страни́ца page
стра́нно strange
стро́гий strict
уме́ть to be able/know how to do
учи́лище college
хи́мик chemist

EXTRA

а́ктовый зал assembly hall
вступи́тельный экза́мен entrance exam
второ́й за́втрак snack (elevenses/"second breakfast")
дли́ться to last
до́брое у́тро good morning
ко́пия copy
лени́ться to be lazy
лентя́й lazybones
любо́й any

ма́стер skilled workman
МГУ Moscow State University
медици́нский medical
отли́чник excellent pupil
педагоги́ческий teacher training
Подмоско́вье area around Moscow
политехни́ческий polytechnic
программи́ст computer programmer

раздава́ть/разда́ть to give out
рели́гия religion
специа́льный specialised
теоре́ма theorem
те́хникум technical college
технологи́ческий technological
удовлетвори́тельно satisfactory
фле́йта flute
ча́стный private

Dialogue 1

1. Maths homework.
2. a) P.E., history, biology, and Russian.
   b) Maths, English, geography, chemistry, and physics.
3. a) Zoya likes P.E. and history, her favourite subject is geography.
   b) Petya likes English and maths, his favourite subject is chemistry.
4. a) Zoya does not like English, the teacher is too strict.
   b) Petya does not like geography as it's boring.
5. Biology.

Exercise 1

Name	Which class?	What subjects?	Favourite subject	Why?	Foreign language	How long studied?
Sergei	8th	physics, maths, biology, history, French	history	*	French	4 years
Tanya	2nd	English, Russian, maths, P.E.	P.E.	she likes sport	English	6 months
Vitaly	10th	chemistry, history, geography, literature, German	Russian	he likes reading	German	*
Lyuba	6th	English, music	music	*	English	2 year

Exercise 2

1. Кабинéт англи́йского языкá (English room).
2. Столóвая (Dining Room).
3. Кабинéт фи́зики (Physics room).
4. Библиотéка (Library).
5. Канцеля́рия (Secretary's office).

Dialogue 3

1. Go to the blackboard and solve problem No 304.
2. To solve the following problem on the blackboard.
3. Turn to page 67 in their textbooks and revise the theorem.
4. Petya gets 5. Alyosha gets 2.

Dialogue 4

1. Chemical engineer, like his mother.
2. A teacher of foreign languages in a college.
3. Because schoolchildren are too young; the work is not interesting.
4. An institute of foreign languages or Moscow University.
5. University or Leningrad college of technology.
6. They've got to finish school.

Exercise 4

Name	Future career	Higher education? Where?	What must they do now?
Игорь	Engineer	Moscow University	Pass both school exams and entrance exams well
Анна	Doctor	Medical college	Get excellent marks in exams, especially in biology and chemistry
Света	Waitress	Technical college	Get reasonable marks in school exams
Борис	Worker in a factory	No	Show he can study
Серёжа	Computer Programmer	Moscow University	Not just study maths

Письмо от Са́лли

1. P.E.
2. She likes French and history.
   Her favourite subject is Russian (surprise, surprise!)
3. She doesn't like physics as it's very difficult.
4. Mixed comprehensive.
5. Sports hall, laboratories, and a library.
6. She plays hockey and netball, and is in the hockey team.
7. A translator.
8. She wants to go to university or polytechnic and study languages.

Мне нравится...
А тебе?

Dialogue 1

Monday morning at school...

1. Listen to the conversation and see if you can say what each of the following people did over the weekend, in as much detail as possible:
a. Petya.
b. Alyosha.
c. Natasha.
d. Sveta.
2. What does Natasha suggest doing next weekend, and how do a) Alyosha and b) Petya react?

Алёша. А, Пе́тя, здра́вствуй! Как дела́? Что ты де́лал в воскресе́нье?

Пе́тя. Мы е́здили в дере́вню на электри́чке и там устра́ивали пикни́к. Здо́рово бы́ло! А ты что де́лал вчера́?

Алёша. У́тром я е́здил на стадио́н и игра́л в футбо́л. По́сле обе́да ходи́л в кино́ и смотре́л но́вый детекти́в. Хоро́ший фильм!

Ната́ша. Приве́т, ма́льчики, как дела́?

Алёша. Приве́т, Ната́ша, мы обсужда́ем, что мы де́лали в воскресе́нье. А ты как провела́ воскресе́нье, Ната́ша? Хорошо́?

Молодёжная дискоте́ка

172

Ната́ша. Нет, не о́чень. Бы́ло ску́чно. У́тром мы е́здили в го́сти к тёте. Обе́дали у неё. Пото́м я смотре́ла телеви́зор, переда́чу «Музыка́льный кио́ск», а пото́м про́сто слу́шала пласти́нки. Салю́т, Све́та! Я тебе́ вчера́ ве́чером звони́ла, а тебя́ не́ было до́ма. Где ты была́?

Све́та. Приве́т, ребя́та! Зна́ете, вчера́ ве́чером я была́ в дискоте́ке на Арба́те. Там прекра́сная му́зыка, я танцева́ла до упа́ду.

Ната́ша. Мне то́же хо́чется потанцева́ть. Ма́льчики, пойдём туда́ в сле́дующую суббо́ту?

Алёша. Ну коне́чно, пойдём!

Пе́тя. Нет, я танцева́ть не люблю́, и вообще́ мне, пожа́луй, лу́чше заня́ться матема́тикой, чем та́нцами.

Ната́ша. Ну ла́дно, не хо́чешь — не на́до!

Questions and Answers to Learn (1)

1.

Что	ты де́лал (а) / вы де́лали	во вре́мя кани́кул? / в суббо́ту? / ве́чером? / вчера́ у́тром?

Как	ты	провёл / провела́	вре́мя? / кани́кулы?
	вы провели́		суббо́ту? / ве́чер?

Я	был (а́)	в	теа́тре. / лесу́. / кино́. / гостя́х (у дру́га/подру́ги).
		на	стадио́не. / конце́рте. / футбо́льном ма́тче.
	ходи́л (а) / е́здил (а)	в	теа́тр. / кино́. / лес. / го́сти (к дру́гу/подру́ге).
		на	стадио́н. / конце́рт. / футбо́льный матч.
	игра́л (а)	в	хокке́й. / ша́хматы.
	смотре́л (а)		телеви́зор. / кино́/фильм.

What did you do	during the holidays? / on Saturday? / in the evening? / yesterday morning?

How did you spend	the time? / the holidays? / Saturday? / the evening?

I went to	the theatre. / the woods. / the cinema. / visit (my friend). / the stadium. / a concert. / a football match.
I played	(ice) hockey. / chess.
I watched	television. / a film.

2.

Ты ча́сто хо́дишь	в	кино́? теа́тр?
	на	стадио́н? конце́рты? о́перу? бале́т?

Я хожу́	в	кино́ теа́тр	раз два/три/четы́ре ра́за пять/шесть... раз	в	неде́лю. ме́сяц. год.
	на	стадио́н конце́рты о́перу бале́т			

Я	(о́чень)	ча́сто ре́дко	хожу́	в кино́/в теа́тр.
	никогда́ не		на	стадио́н. конце́рты. о́перу. бале́т.

Do you often go to	the	cinema? theatre? stadium? concerts? opera? ballet?	I	go to	the	cinema theatre stadium concerts opera ballet	once twice/3/4 times 5/6 times	a	week. month. year.

I	(very)	often rarely	go to	the	cinema. theatre. stadium. concerts. opera. ballet.
	never				

3.

Что Чем	ты лю́бишь	де́лать занима́ться	в свобо́дное вре́мя?

Како́е у тебя́/вас хо́бби?

Чем ты	интересу́ешься? увлека́ешься?

174

Я	люблю	ходи́ть в теа́тр. игра́ть в волейбо́л.
Мне	нра́вится интере́сно	игра́ть на гита́ре. рабо́тать с компью́тером. де́лать моде́ли. собира́ть значки́. игра́ть в хоккéй.
Я	интересу́юсь увлека́юсь	бале́том. пла́ванием. рок-му́зыкой. почто́выми ма́рками.
	хожу́ в бассéйн.	
	игра́ю на флéйте.	
	собира́ю откры́тки.	
	занима́юсь	рисова́нием. му́зыкой.
	слу́шаю пласти́нки/кассéты.	

What	do you like to do in your spare time?		
	are	your hobbies?	
		you	interested in? keen on?

I like	going to the theatre. playing volleyball. playing the guitar. working on the computer. making models. collecting badges. playing hockey. ballet. swimming. rock music. postage stamps.	I	go swimming.
I'm	interested in keen on		play the flute.
			collect postcards.
		do/study	drawing. music.
			listen to records/cassettes.

4.

Каки́ми ви́дами спо́рта	ты занима́ешься? вы занима́етесь?	Я занима́юсь	нетбо́лом. хокéем (на травé). гимна́стикой. лёгкой атлéтикой. рéгби/каратэ́.

What sports do you play?	I do/play	netball. hockey. gymnastics. athletics. rugby/karate.

Exercise 1

Working in pairs, find out your partner's interests and fill in the boxes below with ticks and crosses as indicated. In each case ask the question:

Ты лю́бишь … ?

Take it in turns to ask the question.

о́чень люблю́ – VV   не о́чень – —
люблю́   – V   не люблю́ – ✳   совсе́м не люблю́ – ✳✳

спорт		собира́ть откры́тки	
популя́рная му́зыка		танцева́ть	
о́пера		игра́ть в футбо́л	
теа́тр		бале́т	
тури́зм		компью́терные и́гры	
игра́ть в ка́рты		занима́ться гимна́стикой	
собира́ть ма́рки		чита́ть газе́ты	
смотре́ть телеви́зор		ходи́ть в го́сти	

Exercise 2

Now, using the same system, discuss which TV programmes you like best.

худо́жественные фи́льмы	
документа́льные фи́льмы	
приключе́нческие фи́льмы	
нау́чно-фантасти́ческие фи́льмы	
музыка́льные фи́льмы	
мультфи́льмы	
детекти́вы	
коме́дии	
спорти́вные переда́чи	
музыка́льные переда́чи	
де́тские переда́чи	
нау́чно-популя́рные програ́ммы	
эстра́дные програ́ммы	
уче́бные програ́ммы	
молодёжные програ́ммы	
спекта́кли	
конце́рты	
„Но́вости"	

(Check the vocabulary list for any you don't know before you start!)

Exercise 3. Корреспонде́нты

All Petya's friends are so impressed by the fact that he has an English penfriend that they want one too. He sends some letters from his friends to Sally in the hope that she can distribute them to her friends. But it's a difficult business finding suitable pairs. Perhaps you can help her:

1. Read the letters and fill in the first box below, so you are quite clear as to the Soviet children's interests.
2. Listen to six of Sally's friends describing their interests on the tape and fill in the second box about them.
3. See if you can decide which of the Russian pupils ought to be matched with which of the English pupils.

You could discuss your decisions with a partner, like this:

«По-мо́ему, Бори́с до́лжен писа́ть Джо́ну, потому́ что они́ интересу́ются футбо́лом».

«Я ду́маю, что А́нна должна́ перепи́сываться с Джо́ном, потому́ что они́ лю́бят му́зыку».

МЕНЯ ЗОВУТ БОРИС, МНЕ 15 ЛЕТ.
Я ЛЮБЛЮ ИГРАТЬ В ХОККЕЙ НА ЛЬДУ.
МНЕ НЕ НРАВИТСЯ НИ ЧИТАТЬ, НИ ХОДИТЬ
В ТЕАТР. В МУЗЕИ Я ТОЖЕ НЕ ЛЮБЛЮ
ХОДИТЬ. НО МНЕ ИНТЕРЕСНО ХОДИТЬ В
КИНО И СМОТРЕТЬ ТЕЛЕВИЗОР, ОСОБЕННО
НАУЧНО-ФАНТАСТИЧЕСКИЕ ФИЛЬМЫ.
МНЕ НРАВИТСЯ ФОТОГРАФИРОВАТЬ И
СЛУШАТЬ РОК-МУЗЫКУ.

Меня зовут Наташа, мне 16 лет.
Мне нравится заниматься гимнастикой и плавать. Я люблю читать журналы мод и ходить в
театр. Очень люблю балет.
Мне нравятся кинокомедии.
Я играю на скрипке и люблю
классическую музыку.

177

Меня зовут Игорь, мне 16 лет. Я люблю кататься на велосипеде и играть в футбол. Мне нравится читать газеты, посещать музеи и собирать марки. Я хорошо играю в шахматы и интересуюсь компьютерами.

Меня зовут Света, мне 15 лет. Мне нравится играть в баскетбол и в волейбол. Я люблю читать романы, ездить в деревню и устраивать пикники. Я хорошо играю в карты, часто хожу в дискотеку, потому что люблю танцевать.

Меня зовут Толя, мне 15 лет. Я не люблю спорт. Мне нравится ходить в театр, в кино и делать авиамодели. Я собираю и слушаю кассеты с популярной и классической музыкой. Я часто смотрю фильмы по телевизору.

Меня зовут Анна, мне 16 лет. Я люблю играть в пинг-понг. Я очень увлекаюсь театром, но совсем не люблю ходить в музеи. Я часто хожу в кино смотреть фильмы о любви. Я люблю популярную музыку, а читать не люблю.

лю́бит/интересу́ется — V   не лю́бит/не интересу́ется — ✳

	Бори́с	Ната́ша	И́горь	То́ля	Све́та	А́нна
спорт (како́й?)						
чита́ть (что?)						
теа́тр						
кино́						
телеви́зор						
му́зыка (кака́я?)						
други́е интере́сы						

	Сью́зан	Джон	Ша́рон	Сти́вен	Дже́йн	Пи́тер
спорт (како́й?)						
чита́ть (что?)						
теа́тр						
кино́						
телеви́зор						
му́зыка (кака́я?)						
други́е интере́сы						

179

12*

Dialogue 2

Zoya is showing a visitor around her Pioneer Palace...
1. Which activities take place at the Pioneer Palace?
2. Which of these does Zoya do this year?
3. Which activities will she do next year?
4. What do they do on a hike?
5. Which activities do they do on Summer camp?

Зо́я. Вот наш Дворе́ц пионе́ров.

Гость. Краси́вое зда́ние! Наве́рное, сюда́ хо́дит мно́го моско́вских пионе́ров?

Зо́я. Да наве́рное, бо́льше ты́сячи. Мы прихо́дим сюда́ занима́ться в ра́зных кружка́х.

Гость. А каки́е здесь кружки́?

Зо́я. Их о́чень мно́го: астрономи́ческий, музыка́льный, танцева́льный, авиамодели́рования, рисова́ния, геологи́ческий и мно́го други́х.

Гость. А в како́м кружке́ ты занима́ешься?

Зо́я. В э́том году́ я занима́юсь му́зыкой и рисова́нием. В бу́дущем году́ я хочу́ занима́ться в геологи́ческом кружке́.

Гость. А ле́том вы е́здите на экску́рсии?

Зо́я. Да, ле́том мы ча́сто е́здим на экску́рсии и ещё хо́дим в похо́ды. Мы берём с собо́й рюкзаки́, в лесу́ мы разжига́ем костёр и гото́вим еду́. Нам э́то о́чень нра́вится.

Гость. А ты была́ когда́-нибудь в пионе́рском ла́гере?

Зо́я. Коне́чно, была́, и не оди́н раз. Обы́чно мы жи́ли там це́лый ме́сяц, игра́ли, занима́лись спо́ртом, ходи́ли в похо́ды, е́здили на экску́рсии и ещё помога́ли колхо́зникам. А когда́ к нам приезжа́ли го́сти, мы устра́ивали для них конце́рты.

Гость. Ну что ж, Зо́я, э́то действи́тельно интере́сно.

В похо́де на прива́ле

180

Questions and Answers to Learn (2)

1.

Ты член	молодёжной пионе́рской комсомо́льской	организа́ции?

Да, я пионе́р/пионе́рка.
Да, я комсомо́лец/ комсомо́лка.
Да, я бойска́ут.
Нет, я не член молодёжной организа́ции.

Ты хо́дишь в молодёжный клуб?	Да, я хожу́ Нет, я не хожу́	в молодёжный клуб.

Are you a member of an organization?

Yes, I am a Pioneer.
Yes, I am a Young Communist.
Yes, I am a boy scout.
No, I'm not a member of any organization.

Do you go to a Youth Club?	Yes, I go No, I don't go	to a Youth Club.

2.

Когда́ Где	вы встреча́етесь?	Мы встреча́емся	по	четверга́м. вечера́м.
			во Дворце́ пионе́ров.	
			в	за́ле. шко́ле.

When Where	do you meet?	We meet	on Thursdays. in the evenings. at the Pioneer Palace. in a hall. at school.

3.

В каки́х кружка́х	ты занима́ешься? вы занима́етесь?	Я занима́юсь Мы занима́емся	в геологи́ческом кружке́. в кружке́ ру́сского языка́.

Каки́е кружки́	ты посеща́ешь? вы посеща́ете?	Я	посеща́ю хожу́ в	геологи́ческий кружо́к. кружо́к ру́сского языка́.

Which	clubs societies	are you a member of? do you go to?	I'm We're	in the	geology society. Russian club.
			I go to the		

4.

Ты был (а́) Вы бы́ли	в пионе́рском ла́гере? в ла́гере бойска́утов?	Да, был (а́). Нет, не́ были.

Have you been	to Pioneer camp? to Scout camp?	Yes, I/we have. No, I/we haven't.

181

Exercise 4. Объявления

Read the announcements and notices at a Pioneer Palace and in school giving information about various **кружки**. Choose the **кружки** you prefer and explain why.

ВНИМАНИЕ!

Базовая школа при МГПИ им. В.И. Ленина объявляет прием в 9-10 классы с углубленным изучением биологии. Экзамены в 11 классе по химии и биологии считаются вступительными на биолого-химический факультет МГПИ им. В. И. Ленина.

Экологический лагерь

• ЛОСИНЫЙ ОСТРОВ •

(для тех, кто занимается в кружке биологии)

На территории уникального лесного массива вас ожидает исследовательская работа по следующим направлениям:

1. ОРНИТОЛОГИЯ,
2. ЗООЛОГИЯ,
3. ЭНТОМОЛОГИЯ,
4. ГИДРОБИОЛОГИЯ,
5. БОТАНИКА.

Желающие поехать в лагерь должны обратиться к руководителю своего кружка.

В Московском городском Дворце пионеров и школьников работают кружки:

1. ЭКОЛОГИЧЕСКИЙ,
2. ТЕХНИЧЕСКИХ ВИДОВ СПОРТА,
3. АСТРОНОМИИ И КОСМОНАВТИКИ,
4. СПОРТИВНЫЙ,
5. ЭСТЕТИЧЕСКОГО ВОСПИТАНИЯ,
6. ТУРИЗМА И КРАЕВЕДЕНИЯ,
7. ЮНЫХ ФОЛЬКЛОРИСТОВ,
8. АКТЕРСКО-РЕЖИССЕРСКИЙ,
9. ЛИТЕРАТУРНОГО ТВОРЧЕСТВА,
10. КИНООПЕРАТОРВ,
11. СЦЕНАРИСТОВ,
12. МУЛЬТИПЛИКАТОРОВ,
13. ЮНЫХ ДРУЗЕЙ КНИГИ,
14. ЖУРНАЛИСТОВ,
15. АНСАМБЛЬ ПЕСНИ И ПЛЯСКИ им. В. ЛОКТЕВА,
16. КУКОЛЬНЫЙ ТЕАТР,
17. ТЕАТР ЮНЫХ МОСКВИЧЕЙ,
18. СТУДИЯ ХУДОЖЕСТВЕННОГО СЛОВА,
19. СТУДИЯ БАЛЬНЫХ ТАНЦЕВ.

Запись желающих с 25 августа по 10 сентября во Дворце пионеров.

Московский Дворец пионеров и школьников
Ленинградский Дворец пионеров

Письмо́ от Са́лли

Read the letter and answer these questions:

1. Why hasn't Sally got much free time at the moment?
2. Which sports does Sally do in the Summer?
3. What other hobbies does she have?
4. What does Sally tell us about her youth club?
5. What did Petya send Sally in his last letter which will be useful when she arrives in Moscow?

Now try and write a letter to a Russian penfriend describing your hobbies.

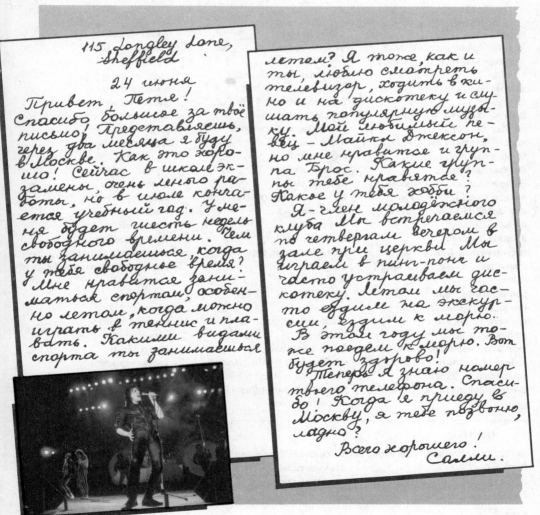

115 Longley Lane,
Sheffield

24 июня

Приве́т, Пе́тя!
Спаси́бо большо́е за твоё письмо́! Представля́ешь, че́рез два ме́сяца я бу́ду в Москве́. Как э́то хорошо́! Сейча́с в шко́ле экза́мены, о́чень мно́го рабо́ты, но в ию́ле конча́ется уче́бный год. У меня́ бу́дет шесть неде́ль свобо́дного вре́мени. Чем ты занима́ешься, когда́ у тебя́ свобо́дное вре́мя? Мне нра́вится занима́ться спо́ртом, осо́бенно ле́том, когда́ мо́жно игра́ть в те́ннис и пла́вать. Каки́ми ви́дами спо́рта ты занима́ешься

ле́том? Я то́же, как и ты, люблю́ смотре́ть телеви́зор, ходи́ть в кино́ и на дискоте́ку и слу́шать популя́рную му́зыку. Мой люби́мый певе́ц – Майкл Дже́ксон, но мне нра́вится и гру́ппа Брос. Каки́е гру́ппы тебе́ нра́вятся? Како́е у тебя́ хо́бби?
Я – член молодёжного клу́ба. Мы встреча́емся по четверга́м ве́чером в за́ле при це́ркви. Мы игра́ем в пинг-понг и ча́сто устра́иваем дискоте́ку. Ле́том мы ча́сто е́здим на экску́рсии, е́здим к мо́рю. В э́том году́ мы то́же пое́дем к мо́рю. Вот бу́дет здо́рово!
Тепе́рь я зна́ю но́мер твоего́ телефо́на. Спаси́бо! Когда́ я прие́ду в Москву́, я тебе́ позвоню́, ла́дно?
Всего́ хоро́шего!
Са́лли.

Vocabulary

BASIC

вре́мя time
де́лать/сде́лать to do/make
заинтересова́ться to get interested in
занима́ться/заня́ться to do/engage in
игра́ть/сыгра́ть в... (+ Acc.) to play (a sport)
игра́ть/сыгра́ть на... (+ Prep.) to play (an instrument)
интере́с interest
интересова́ться/заинтересова́ться to be interested in
как дела́? How are you?
о́тдых leisure
пла́вать to swim
посмотре́ть to watch
проводи́ть/провести́ to spend (time)
прочита́ть to read
свобо́дное вре́мя free time
сде́лать to do/make
слу́шать to listen
смотре́ть/посмотре́ть to watch
собира́ть/собра́ть to collect
танцева́ть to dance
фотографи́ровать to photograph

хо́бби hobby
чита́ть/прочита́ть to read

бадминто́н badminton
баскетбо́л basketball
бассе́йн swimming pool
волейбо́л volleyball
гимна́стика gymnastics
карата́ karate
ка́рты cards
кри́кет cricket
кружо́к club
лёгкая атле́тика (track and field) athletics
матч match
нетбо́л netball
пинг-по́нг table tennis
пла́вание swimming
ре́гби rugby
сквош squash
спорт sport
стадио́н stadium
те́ннис tennis
футбо́л football
футбо́льный football (adj.)
хокке́й ice-hockey
хокке́й на траве́ (grass) hockey
ша́хматы chess

бале́т ballet
дискоте́ка disco
гита́ра guitar
гру́ппа group
кассе́та cassette
кино́/кинотеа́тр cinema
класси́ческий classical
клуб club
конце́рт concert
музе́й museum
му́зыка music
но́вости news
о́пера opera
пиани́но piano
пласти́нка record
популя́рный pop
прекра́сный fine/great
програ́мма programme/channel (on TV)
пье́са play
ра́дио radio
скри́пка violin
та́нец dance
теа́тр theatre
телеви́зор television
телепрогра́мма TV programme
фильм film
фле́йта flute

HIGHER

детекти́в "whodunit" (book or film)
детекти́вный detective/crime (adj.)

де́тский children's (adj.)
документа́льный documentary
кинокоме́дия comic film

музыка́льный musical
мультфи́льм cartoon
нау́чно-популя́рный science (adj.)

научно-фантастический science-fiction *(adj.)*
передача programme/broadcast
приключенческий adventure/action *(adj.)*
роман novel
спектакль play
спортивный sports *(adj.)*
учебный educational
художественный фильм feature film
эстрадный variety *(adj.)*

будущий future/next
быть в гостях to visit/be a guest at someone's house
гость guest
еда food
звонить/позвонить to phone
кататься на велосипеде/на лыжах/на коньках to go cycling/skiing/skating
кружок club/society
молодёжный youth *(adj.)*
молодёжь youth
нарисовать to draw
певец singer *(m.)*
певица singer *(f.)*
песня song

петь to sing
пионерский лагерь Pioneer camp
позвонить to phone
посещать/посетить to visit
разный different/various

газета newspaper
журнал magazine
значок badge
книга book
компьютер computer
мода fashion
модель model
открытка postcard
почтовые марки stamps

брать to take
во время during
готовить to cook/prepare
Дворец пионеров Pioneer Palace
деревня countryside
другой other
зал hall
здание building
интересно interesting
каникулы holidays
колхозник collective farmer
лес forest

море sea
новый new
обед lunch/dinner
обедать to have lunch/dinner
пионер Pioneer *(m.)*
пионерка Pioneer *(f.)*
помогать/помочь to help
праздник festival/holiday
приезжать to come (by transport)
приходить to come (on foot)
просто just/simply
скучно boring
учебный год academic year/school year
целый whole
экзамен exam
экскурсия excursion

рисование drawing
рисовать/нарисовать to draw
следующий next
тысяча thousand
увлекаться/увлечься to be keen on
ходить в гости to go (as a guest) to someone's house
церковь church
шить to sew

EXTRA

авиамоделирование aeroplane modelling
авиамодель model aeroplane
астрономия astronomy
бойскаут Boy Scout
геология geology
до упаду until I collapsed
комсомолец Young Communist *(m.)*

комсомолка Young Communist *(f.)*
костёр bonfire
любовь love
обсуждать to discuss
объявление announcement/notice
организация organization
пикник picnic

поход hike
разжигать to light
рок-музыка rock music
рюкзак rucksack
туризм hiking/hill walking
устраивать/устроить to arrange
член member
электричка local electric train

Dialogue 1

1

Petya: On Sunday he went to the country on the train and had a picnic.
Alyosha: On Sunday morning he went to the stadium and played football. After dinner he went to the cinema and saw a new detective film.
Natasha: On Sunday morning she went to her aunt's and had dinner. In the afternoon she watched a TV programme about music and listened to records.
Sveta: On Sunday evening she went to a new disco in the Arbat and danced all evening. There was good music.

2

Natasha wants to go to the disco next Saturday. Alyosha agrees with her; Petya prefers mathematics.

Exercise 3

	Бори́с	Ната́ша	И́горь	То́ля	Све́та	А́нна
спорт (како́й?)	∨ хокке́й	∨ гимна́стика пла́вать	ша́хматы ∨ велосипе́д футбо́л	✳	∨ баскетбо́л волейбо́л	∨ пинг-по́нг
чита́ть (что?)	✳	∨ журна́лы	∨ газе́ты	✳	∨ рома́ны	✳
теа́тр	✳	∨	✳	∨	✳	∨
кино́	∨	∨	✳	∨	✳	∨
телеви́зор	∨	✳	∨	∨	✳	
му́зыка (кака́я?)	∨ рок	∨ класси́ческая	✳	∨ поп класси́ческая	✳	∨ поп
други́е интере́сы	фо́то	скри́пка	музе́и ма́рки компью́тер	авиамоде́ли	дискоте́ка дере́вня ка́рты	

	Сью́зан	Джон	Ша́рон	Сти́вен	Джейн	Пи́тер
спорт (какой?)	∗	∨ футбо́л ша́хматы	∨ бадминто́н	∨ сквош	∨ те́ннис пинг-по́нг	∨ кри́кет ре́гби
чита́ть (что?)		∨ газе́ты	∨ журна́лы	∨ рома́ны		∗
теа́тр					∨	
кино́	∨				∨	∨
телеви́зор	∨	∨	∨			∨
му́зыка (кака́я?)	∨ поп	∗	∨ класси́ческая			∨ рок
други́е интере́сы	кассе́ты пласти́нки	компью́тер	пиани́но	дискоте́ка та́нцы		

The penfriends should be paired:
Boris and Peter.
Natasha and Sharon.
Igor and John.
Tolya and Susan.
Sveta and Steven.
Anna and Jane.

Dialogue 2

1. Astronomy, music, dancing, model aeroplanes, drawing, geology, etc.
2. Music and drawing.
3. Geology.
4. They take rucksacks with food, light a fire and prepare the food.
5. They stay for a month, play games and sports, go on hikes and excursions, and help the collective farmers. When visitors come they perform a concert.

Письмо́ от Са́лли

1. She's doing exams.
2. Tennis, swimming.
3. She watches TV, goes to the pictures and disco and listens to pop music.
4. It meets on Thursday evening in a church hall. They play table tennis, often have a disco and in the Summer they go on trips to the seaside or funfair.
5. Petya's telephone number.

Давай встретимся !

Dialogue 1

A

Petya is asking Natasha out to the cinema:
1. What film does Petya suggest they might see?
2. What does Natasha suggest instead?
3. When does the film start?
4. Who will buy the tickets?
5. When and where will they meet?

Пе́тя. Алло́! Ната́ша, э́то ты?

Ната́ша. Да. Здра́вствуй, Пе́тя. Как я ра́да, что ты позвони́л!

Пе́тя. Ната́ша, дава́й пойдём в кино́ сего́дня ве́чером?

Ната́ша. Пойдём. А на како́й фильм?

Пе́тя. В кинотеа́тре «Росси́я» идёт но́вый детекти́в.

Ната́ша. Зна́ешь, мне не о́чень нра́вятся детекти́вные фи́льмы. Дава́й лу́чше пойдём в кинотеа́тр «Заря́дье», там идёт одна́ ста́рая коме́дия.

Пе́тя. Как она́ называ́ется?

Ната́ша. «Гара́ж». Говоря́т, о́чень смешно́й фильм.

Пе́тя. Ну хорошо́, а когда́ нача́ло сеа́нса?

Ната́ша. В семна́дцать три́дцать.

Пе́тя. Ла́дно, я куплю́ биле́ты и встре́чу тебя́ у вхо́да в кинотеа́тр в семна́дцать пятна́дцать. Согла́сна?

Ната́ша. Прекра́сно! Обеща́ю не опа́здывать!

Пе́тя. Зна́чит, в семна́дцать пятна́дцать у вхо́да. Приве́т!

B

Petya is waiting anxiously outside the cinema...
1. At what time does Natasha finally arrive?
2. Why does she say she was late?
3. How long has Petya been waiting?

Ната́ша. Приве́т, Петь! Я не опозда́ла?

Пе́тя. Скоре́е, Ната́шка! Фильм начина́ется через три мину́ты. Всегда́ ты опа́здываешь!

Ната́ша. Ну извини́, пожа́луйста! Про́сто до́лго не́ было авто́буса. Ты давно́ ждёшь меня́?

Пе́тя. Мину́т два́дцать. Но э́то нева́жно. Идём в зал!

Москва́. Кинотеа́тр «Заря́дье»

C

After the film, Petya and Natasha are walking home...

1. What did Natasha think of the film?
2. What sort of film did they see last week?
3. What did Petya think of last week's film?
4. What does Natasha suggest when they get home?

Пе́тя. Ну что? Тебе́ понра́вился фильм, Ната́ша?

Ната́ша. По-мо́ему, хоро́ший фильм, о́чень смешна́я коме́дия! Но всё-таки мне бо́льше понра́вился фильм, кото́рый мы смотре́ли на про́шлой неде́ле, по́мнишь?

Пе́тя. Нет, не по́мню.

Ната́ша. Ну как же! Э́то был фильм о любви́.

Пе́тя. А, вспо́мнил! Но там совсе́м не́ было приключе́ний.

Ната́ша. Жаль, что тебе́ нра́вятся то́лько приключе́ния. Ну вот, мы и пришли́. Мо́жет быть, зайдёшь к нам? Ма́ма бу́дет о́чень ра́да.

Пе́тя. Спаси́бо, но я сего́дня не могу́.

1.

Дава́й (те) пойдём		в	кино́ теа́тр бассе́йн	сего́дня за́втра в суббо́ту	ве́чером. у́тром. днём.
Я приглаша́ю Я хочу́ пригласи́ть	тебя́ вас	на	стадио́н спекта́кль		Дава́й (те) ! Пойдём! С удово́льствием пойду́! К сожале́нию, не (с) могу́. Да, о́чень хочу́. Нет, не хочу́.
Ты (не) хо́чешь Вы (не) хоти́те	пойти́		о́перу? бале́т?		

Let's go I'd like to invite you Would you like to go	to	the	cinema theatre baths stadium	this tomorrow on Saturday	evening. morning. afternoon.
			a play an opera		O. K. Let's (go)! I'd love to go (with pleasure). I'm afraid I can't. Yes, I'd love to. No, I don't want to.

2.

Что (идёт)	сего́дня за́втра в суббо́ту		в кино́? теа́тре?
	на э́той на сле́дующей	неде́ле	

В кино́	сего́дня за́втра в суббо́ту		(идёт)	но́вый интере́сный англи́йский америка́нский	фильм	о любви́. о войне́. о ко́смосе.
В теа́тре	на	э́той сле́дующей	неде́ле		спекта́кль.	

What's on at	the cinema the theatre	today? tomorrow? on Saturday?
		this week? next

There's a(n)	new interesting English American	romance war film space film play about the war about space	on at	the cinema	today. tomorrow. on Saturday.
				the theatre	this week. next

3.

Где / Когда	мы встре́тимся?	Дава́й (те) встре́тимся	у вхо́да в кинотеа́тр. у ста́нции метро́. у ка́ссы. в 17.30.

Where / When	will we meet?	Let's meet	at	the entrance to the cinema. the metro station. the box office. 17.30.

4.

Когда́ / В кото́ром часу́	начина́ется конча́ется	спекта́кль? матч? фильм? сеа́нс? конце́рт?	Спекта́кль Матч Фильм Сеа́нс Конце́рт	начина́ется конча́ется	в два часа́. в де́сять часо́в.

When does	the play the match the film the showing the concert	begin? end?	The play The match The film The showing The concert	begins ends	at 2 o'clock. at 10 o'clock.

5.

(Как)	тебе́ вам	понра́вился	фильм? спекта́кль? конце́рт?
		понра́вилась	програ́мма? переда́ча? пье́са?

Мне	(о́чень) не (о́чень) совсе́м не	понра́вился	фильм. спекта́кль. конце́рт.
		понра́вилась	програ́мма. переда́ча. пье́са.

(How)	Did you like	the film? the play? the concert? the programme? the broadcast? the play?	I	liked didn't like	the film the play the concert the programme	(very much).
				didn't like	the broadcast the play	at all.

Exercise 1. Приглашáю!

🔊 Listen to five dialogues in which one person invites another out, and fill in the details on the chart below.

When you have done that make up your own dialogues and invite your partner out!

(Use the questions and answers on pages 215-216 and the tickets on page 221 for ideas of places to go to.)

Dialogue	Tolya and Tanya	Sveta and Dennis	Sasha and Natasha	Boris and Yulia	Misha and Volodya
Where are they going?					
What will they see/hear?					
Where will they meet?					
When will they meet?					
When does it start?					
Any other information?					

Exercise 2. Что идёт?

In kiosks in the centre of Moscow which sell tickets for theatres and sporting events, etc. in the capital, you can find posters which tell you which events are on, at which venue, on which day. Below you can see some extracts from these posters for one particular week, from Monday 4th till Sunday 10th. Read through the following information and manage your own plan for the week. With a partner take it in turns to ask one another the following questions about each event:

Что идёт в суббóту/понедéльник ... в/на ... ?
Когдá начинáется ... ?
В какóм теáтре идёт ... ?
Где нахóдится теáтр/цирк?

ЛОНДОНСКИЙ ТЕАТР СОВРЕМЕННОГО БАЛЕТА

Гастроли в помещении
Музыкального театра
им. Станиславского
и Немировича-Данченко
Пушкинская ул., 17
Телефон 229-28-35
6 "ОРФЕЙ". Хореограф Ким [...]
ндструп. Композитор Ян Ди[...]

Пл. Свердлова
Телефон 292-00-50

30 (у), 4 Любовью за любовь
30 (в), 7 Каменный гость
2, 8 Иоланта
5 Евгений Онегин

им. М. ГОРЬКОГО
Здание на Тверском бульваре, 22
Телефон 203-87-91
ГЛАВНАЯ СЦЕНА
5 Макбет

московский театр "СОВРЕМЕННИК"

Чистопрудный бульвар, 19-а
Телефон 921-64-73
7 (в) Любовь и голуби

Ул. Герцена, 19
Телефон 290-46-58
ОСНОВНАЯ СЦЕНА

10 Да здравствует королева, виват!

МАЛАЯ СЦЕНА
9 (19.30) Сюжет Питера Брейгеля

ГОСУДАРСТВЕННЫЙ ТЕАТР ДРУЖБЫ НАРОДОВ

В помещении
Театра им. Моссовета
Б. Садовая ул., 16,
сад "Аквариум"
Телефон 299-20-35
9 Бенефисы в Москве. Выступают
Екатерина МАКСИМОВА и Вла-
димир ВАСИЛЬЕВ

Пушкинская ул., 17
Телефон 229-28-35
5 Ромео и Джульетта

Садовая-Самотечная ул., 3
Телефон 299-33-10
25, 5 Необыкновенный концерт

Ежедневно, кроме вторника
"ЗДРАВСТВУЙ, СТАРЫЙ ЦИРК!"
Начало в 19.00. По субботам [...]
чало в 15.00 и 19.00, по воскре[...]
ньям — в 11.30, 15.00 и 19.00

БОЛЬШОЙ КОНЦЕРТНЫЙ ЗАЛ ОЛИМПИЙСКАЯ ДЕРЕВНЯ
Ул. Пельше, 1
Телефон 437-56-50
7, 8 Государственный академичес-
кий хореографический ан-
самбль "Березка". Художественный руководитель М. КОЛЬ-
ЦОВА

13—1648

Questions to Learn (2)

1.

У вас есть биле́ты на	бале́т матч фильм сле́дующий сеа́нс о́перу вы́ставку	на	сего́дня? за́втра? суббо́ту? воскресе́нье?
	за́втрашний конце́рт?		

Have you got any tickets for the	ballet match film	(for)	today? tomorrow?
	next showing opera exhibition	(on)	Saturday? Sunday?
	tomorrow's concert?		

2.

Ско́лько	сто́ит биле́т сто́ят биле́ты	в	парте́р? бельэта́ж? ло́жу?
		на балко́н? в Большо́й теа́тр? на спекта́кль „Бори́с Годуно́в"?	

How much	is a ticket are tickets	for	the stalls? the circle? a box? the balcony? the Bolshoi Theatre? the performance "Boris Godunov"?

Exercise 3. Биле́ты

Listen to four short dialogues and see if you can work out what sort of tickets are being bought and to what kind of event.

	Event/venue	How many tickets	Price	When
1.				
2.				
3.				
4.				

194

Exercise 4. В теа́тре

You may be finding it difficult to understand all the names of the different kinds of seats in a Soviet theatre, not to mention impossible to choose which you would prefer, if you were buying a ticket! To make it easier here is a seating plan of a Soviet theatre. Look at it carefully and see if you can decide which would be the cheapest seats and which the most expensive, which would you choose?

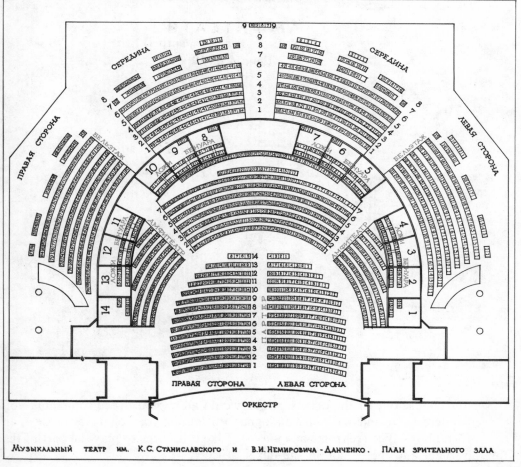

МУЗЫКА́ЛЬНЫЙ ТЕА́ТР ИМ. К. С. СТАНИСЛА́ВСКОГО И В. И. НЕМИРО́ВИЧА - ДА́НЧЕНКО. ПЛАН ЗРИ́ТЕЛЬНОГО ЗА́ЛА

Exercise 5. У вас нет ли́шнего биле́та?

Imagine, you fail to get a ticket from the box-office. You can buy a spare one (**ли́шний биле́т**) on the street outside the theatre. Be sure to check the details on the ticket, though, before you buy it!

Here is a selection of tickets to various theatres, cinemas, museums, and stadiums in the USSR. Can you work out what the tickets are for, how much they would cost and what the words **ряд** and **ме́сто** mean?

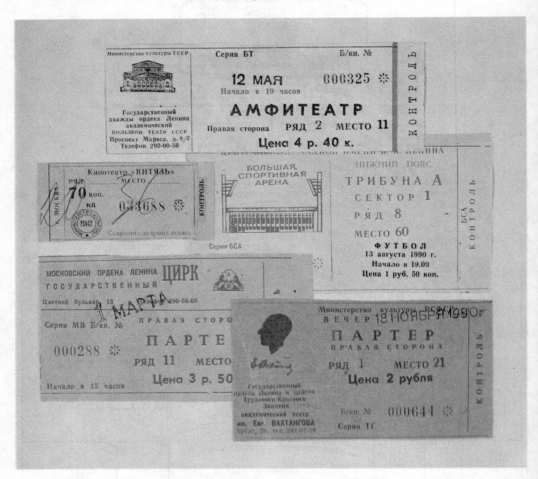

Now choose one of the tickets, which would allow you to see something you are interested in and make up a dialogue with your partner to buy the ticket at an official box-office (**театра́льная ка́сса**). Take it in turns to play the part of the customer and the person in the ticket office.

196

Exercise 6. Спорт, спорт, спорт...

As you have noticed Russians are very keen on sport! Here is a selection of newspaper announcements all connected with different sports. First of all read through them and see if you can work out which sport or sports each is connected with, then read them through more carefully and try to answer the questions at the bottom of the page.

ФУТБОЛ — ЧЕМПИОНАТ СССР

Центральный стадион «Динамо»

4 августа

«ДИНАМО» (Москва) — «ЧЕРНОМОРЕЦ»

Начало в 18.00.

9 августа

«ДИНАМО» (Москва) — ЦСКА

Начало в 19.00.

Билеты продаются в кассах стадиона.
Справочная служба стадиона: 201-09-55.
Автоответчики: 246-55-15, 16, 17, 18.

Московский олимпийский центр водного спорта в августе 1990 года проводит продажу абонементов на сентябрь — декабрь 1990 года в следующие группы:
— группы оздоровительного плавания детей 3 — 5 лет;
— взрослые группы обучения плаванию;
— семейные группы оздоровительного плавания.
Адрес кассового павильона: ул. Ткацкая, дом 26.
Проезд до станции метро «Семеновская», троллейбус № 22 до остановки «Мироновская».
Справки по телефонам: 369-54-83, 369-74-44.

АНОНС

Впервые в Советском Союзе с 16 по 22 июля на кортах спортивного зала «Дружба» в Лужниках состоится 10-й юбилейный чемпионат Европы по теннису среди юниоров.

Большая ракетка и компания «Уолт Дисней» ждут вас в понедельник на торжественном открытии первенства в 18.30. До скорой встречи, любители тенниса и сказок!

Стадион СК «ФИЛИ»

(Новозаводская ул., 27).

Чемпионат СССР
РЕГБИ

7 августа

СК «ФИЛИ» (Москва) — «ЭЛМАВАЛИ» (Тбилиси)

Начало в 17.00.

Проезд: ст. метро «Багратионовская».

... совместного предприятия «Розек»

СССР — КНДР — Япония

проводит набор в группы
УШУ, КАРАТЭ, ДЖИУ-ДЖИТСУ

Справки по вторникам, четвергам, пятницам с 10.00 до 13.00 по телефону: 240-00-38; по вторникам, средам, пятницам, воскресеньям с 18.00 до 21.00 по телефону: 280-85-91.

---

1. Where can you get tickets for the football match?
2. Which championship is taking place this year for the first time in the USSR?
3. What three types of swimming class are advertised?
4. On which days can't you find out information about karate?

Vocabulary

BASIC

америка́нский American
англи́йский English
бале́т ballet
бассе́йн swimming pool
интере́сный interesting
кинотеа́тр cinema
конце́рт concert
ко́смос space
матч match
но́вый new
о́пера opera
переда́ча programme/broadcast
програ́мма programme
пье́са play
спорт sport
стадио́н stadium
теа́тр theatre

фильм film
футбо́льный football (adj.)

биле́т ticket
во вре́мя in time/on time
встре́ча meeting; до встре́чи see you later!
встреча́ться/встре́титься to meet
вход entrance
вы́ход exit
дорого́й expensive/dear
ка́сса ticket office
конча́ться/ко́нчиться to finish
купи́ть to buy
ме́сто place/seat
нача́ло beginning

начина́ться/нача́ться to begin
покупа́ть/купи́ть to buy
ряд row

вспо́мнить to remember
звони́ть/позвони́ть to phone
метро́ metro/underground
называ́ться/назва́ться to be called
по́мнить/вспо́мнить to remember
попи́ть to have a drink
прийти́ to come/arrive
про́шлый last/previous
сле́дующий next
ста́нция station
чай tea

HIGHER

балко́н balcony
бельэта́ж circle
взро́слый grown-up
де́тский child's
ли́шний spare
ло́жа box (at theatre)
парте́р stalls

война́ war
вы́ставка exhibition

госуда́рственный Government (adj.)/state
детекти́в/детекти́вный detective
кинокоме́дия comic film
коме́дия comedy
компози́тор composer
па́мятник monument/statue
ску́чный boring
смешно́й funny

спекта́кль play

заходи́ть/зайти́ to go to someone's house
опа́здывать/опозда́ть to be late
приглаша́ть/пригласи́ть to invite
проси́ть/попроси́ть to ask for
согла́сен/согла́сна agreed/I agree

EXTRA

достава́ть/доста́ть to get/obtain
жени́тьба marriage
за́втрашний tomorrow's
исполня́ть/испо́лнить to perform

любо́вь love
опозда́ние delay/lateness
орке́стр orchestra
прибега́ть/прибежа́ть to come running
приключе́ние adventure

проводи́ться to be on
проще́ние pardon
сеа́нс showing/session
симфони́ческий Symphony
театра́льный theatrical

Key

Dialogue 1

A 1. A new detective film.
   2. She wants to go to another cinema to see a comedy.

3. 17.30.
4. Petya.
5. They will meet by the entrance at 17.15.
B 1. 17.27. (Three minutes before the start of the film.)
   2. There were no buses for a long time.
   3. 20 minutes.
C 1. Really very funny.
   2. A love story/romance.
   3. It was not very exciting (not much action).
   4. Drop in at her house for a cup of tea.

Exercise 1

Dialogue	Tolya and Tanya	Sveta and Dennis	Sasha and Natasha	Boris and Yulia	Misha and Volodya
Where are they going?	Stadium	Theatre	Swimming	Concert	Cinema
What will they see / hear?	Football Spartak--Zenit	*Boris Godunov* by Pushkin		*Romeo and Juliet* by Tchaikovsky	Comedy *Irony of Fate*
Where will they meet?	By ticket office	By entrance	By exit from metro	By monument to Tchaikovsky	By entrance
When will they meet?	Tomorrow 5.30	On Saturday 6.30	16.15	15.00	In half an hour at 7.30
When does it start?	6.00	19.00	16.30	15.30	8.00
Any other information?	Ticket's price	The name of the theatre		The name of the Orchestra	The name of the cinema

Exercise 3

	Event/venue	How many tickets	Price	When
1	Stadium	6	5 r.	-
2	Cinema	3	3 r. 50 k.	next showing
3	Theatre/opera	2	6 r.	Saturday
4	Concert	5	10 r.	Friday

Unit 12

Ура! Каникулы!

Dialogue 1

Petya and his friends are at school, discussing their plans for the Summer holidays...

1. Where is Natasha going this year?
2. When and where is Petya going?
3. What will Alyosha be doing this Summer?
4. How will Alyosha travel?
5. How will Natasha travel?

 Пётя. Ната́ша, ты куда́-нибудь е́дешь ле́том?

Ната́ша. В про́шлом году́ мы с ма́мой е́здили на юг к мо́рю. В э́том году́ мы пое́дем в го́ры. А ты где бу́дешь отдыха́ть, Пётя?

Алёша. Он э́тим ле́том, наве́рное, никуда́ из Москвы́ не уе́дет.

Ната́ша. Почему́? Ты же обы́чно е́здишь в дере́вню к ба́бушке. Переду́мал?

Пётя. В э́том году́ на Украи́ну я пое́ду в ию́ле. А в а́вгусте мне действи́тельно ну́жно быть в Москве́.

Алёша. А вот я пое́ду на се́вер на всё ле́то. Я там никогда́ не́ был. Мы обы́чно живём на да́че под Москво́й.

Пётя. С кем ты туда́ пое́дешь? С роди́телями?

Алёша. Нет, с дя́дей и тётей.

Пётя. Ты полети́шь самолётом?

Алёша. Нет, мы поплывём на теплохо́де до Петрозаво́дска. А отту́да авто́бусом. Ната́ша, а вы на чём пое́дете? На маши́не?

Ната́ша. Нет, на по́езде. Пётя, а что ты бу́дешь де́лать в а́вгусте в Москве́? Нас не бу́дет, тебе́ мо́жет быть ску́чно.

Алёша. Нет, ску́чно ему́ не бу́дет!

ТУРИЗМ СЕГОДНЯ — ЭТО ОТДЫХ С КОМФОРТОМ

«Турист» познакомит вас с сотнями увлекательных туристских маршрутов. Теплоходы с комфортабельными каютами, салонами для отдыха, ресторанами, игральными автоматами, финской баней и плавательным бассейном... Знакомство с уникальными памятниками мировой и русской архитектуры.

200

Questions and Answers to Learn (1)

1.

Куда́	ты е́дешь вы е́дете ты пое́дешь вы пое́дете	в	э́том сле́дующем	году́	ле́том? о́сенью? зимо́й? весно́й? в ию́ле? в а́вгусте? на кани́кулы?
	ты е́здил (а)		про́шлом		

Where	are you going will you go	this next	year	in the	Summer? Autumn? Winter? Spring?
	did you go	last			in July? in August? on holiday?

В	э́том сле́дующем	году́	я	е́ду пое́ду	за грани́цу. на мо́ре/на бе́рег мо́ря. в го́ры. в дере́вню. во Фра́нцию. в пионе́рский ла́герь. на юг/се́вер.
	прошлом			е́здил (а)	

This Next	year	I'm going I'll go	abroad. to the sea/to the seaside. to the mountains. to the country. to France. to a Pioneer camp. to the South/North.
Last		I went	

2.

Куда́	ты вы	обы́чно	е́здишь е́здите	ле́том/зимо́й? о́сенью/весно́й?
Где	ты вы	обы́чно	отдыха́ешь отдыха́ете	

Where do you usually	go spend your holidays	in Summer/Winter? in Autumn/Spring?

Ле́том Зимо́й О́сенью Весно́й	я обы́чно	е́зжу	за грани́цу. на бе́рег мо́ря. в го́ры. на да́чу.
		отдыха́ю	за грани́цей. на берегу́ мо́ря. в гора́х. на да́че.

In the	Summer Winter Autumn Spring	I usually	go	abroad. to the seaside. to the mountains. to the/our dacha (country cottage).
			spend my holidays	abroad. at the seaside. in the mountains. at the/our dacha.

3.

Как С кем	ты е́дешь? вы е́дете? ты е́здил (а) ? вы е́здили?

Я	лечу́ лета́л (а)	на самолёте/самолётом	с (мои́м) бра́том/дру́гом. с (мое́й) сестро́й/подру́гой. с (мои́ми) роди́телями/друзья́ми.
	е́ду е́здил (а)	на по́езде/по́ездом на маши́не на теплохо́де/теплохо́дом	

How Who	are you going? are you going with? did you go? did you go with?

I'm going I went	by plane by train by car by ship	with my	brother/friend (M). sister/friend (F). parents/friends.

Exercise 1

 Listen to an English boy. Bill, and two Soviet children, Tanya and Seryozha, talking about their plans for this year's holidays.
Fill in the chart:
a) where they **usually** go, and
b) **three** things about where they are going this year.

Name	Usually	This year
Bill		
Tanya		
Seryozha		

Exercise 2

Alyosha, Mary, and Jacqueline are answering questions about holidays they have been on.
Fill in two things about where they have been, and also when it was.

Name	Where?	When?
Alyosha		
Mary		
Jacqueline		

Éздить or éхать?

As you probably know, both these verbs mean 'to travel' or 'to go' (by transport). Knowing which one to use can be a bit of a headache!
What follows is not a complete explanation, but it may help you to sort out the basics...
Basically, then: **éздить** (Present: **я éзжу, ты éздишь**; Past: **éздил, éздила, éз-дили**) refers to travelling in more than one direction (e. g., travelling in general, or to a place and back, or around a region);

While: **éхать** (Present: **я éду, ты éдешь**; Past: **éхал, éхала, éхали**) refers to travelling in one direction (e. g., to a particular destination).

The problem is that often, from the English, it is not completely clear which option to choose. As a simplified guide, try to remember the following phrases, and the situations they describe:

éздить:

Я обы́чно éзжу...	I usually go... (regular journey **to a place and back** by the same means of transport).
Я люблю́ éздить на по́езде.	I like travelling by train (i. e. travelling **in general**, not to any particular place).
В про́шлом году́ я éздил в...	Last year I went to... (a completed journey **to a place and back**).

éхать/поéхать:

В э́том году́ я éду/поéду в...	This year I'm going/will go to... (and although I'll probably come back as well, at this stage I'm only concerned with telling you about the journey **to** the destination).
Мы поéхали в Москву́ 20 ию́ля.	We went (i. e. set off) to Moscow on July 20th. (The start of the journey in one direction.)
Я о́чень хочу́ поéхать на Кавка́з.	I really want to go to the Caucasus. (Again, emphasizing the destination I want to get to.)

Dialogue 2

Petya and his friends are discussing holidays again...
1. For how long is Sally coming to Moscow?
2. Why is she not coming for longer?
3. What did Natasha read somewhere?
4. What school holidays do Soviet children have, and what is the total number of weeks?
5. Who have more holidays, Soviet or British children?

Ната́ша. Петь, а почему́ ты до́лжен быть в а́вгусте в Москве́? Э́то секре́т?

Алёша. Секре́т, коне́чно.

Пе́тя. Про́сто в а́вгусте прие́дет Са́лли. По́мнишь, мы с тобо́й покупа́ли ей пода́рок?

Ната́ша. Она́ прие́дет одна́ и надо́лго?

Пе́тя. Нет, она́ прие́дет с гру́ппой шко́льников, то́лько на неде́лю.

Алёша. Ах, кака́я жа́лость! Почему́ не на це́лое ле́то?

Пе́тя. Потому́ что у неё ле́тние кани́кулы для́тся всего́ шесть неде́ль и начина́ются то́лько в конце́ ию́ля.

Ната́ша. Бе́дные англича́не! Но ты, Пе́тя, не беспоко́йся. Я где́-то чита́ла, что у них зи́мние и весе́нние кани́кулы длинне́е, чем на́ши.

Пе́тя. Да, в са́мом де́ле, Са́лли пи́шет, что они́ отдыха́ют две неде́ли зимо́й, когда́ у них Рождество́, и ещё две неде́ли весно́й, когда́ у них Па́сха, и ещё у них кани́кулы в середи́не ка́ждого семе́стра, по одно́й неде́ле три ра́за в год.

Ната́ша. Ну вот, всего́ получа́ется бо́льше трёх ме́сяцев.

Алёша. Но е́сли посчита́ть все на́ши кани́кулы, то мы, наве́рное, отдыха́ем не ме́ньше: неде́ля о́сенью, неде́ля весно́й, две неде́ли зимо́й и почти́ три ме́сяца ле́том...

Ната́ша. Зна́чит...

Пе́тя. Ну ла́дно. Не бу́дем счита́ть.

Questions and Answers to Learn (2)

1.

Какие у вас бывают школьные каникулы?

У нас	лётние весённие осённие зимние	каникулы.
	каникулы	на Рождество. на Пасху.

What school holidays do you have?

We have	Summer Spring Autumn Winter	holidays.
	Christmas Easter	holidays.

2.

Сколько	времени недель	длятся продолжаются у вас	лётние весённие осённие зимние	каникулы?

Одну недёлю.
Две/три/четыре недёли.
Пять/шесть... недёль.

How	long many weeks	are your do you have for	Summer Spring Autumn Winter	holidays?

1 week.
2/3/4 weeks.
5/6... weeks.

3.

Какие каникулы ты больше всего любишь?

Больше всего люблю	лётние зимние ...	каникулы.

Which holidays do you like best?

I like the	summer winter ...	holidays best.

4.

Какие каникулы самые	длинные? интерёсные? скучные?

Which holidays are	the longest? most interesting? most boring?

5.

Где ты (больше всего) любишь отдыхать?

(Бо́льше всего́) люблю́	отдыха́ть	на берегу́ мо́ря. в гора́х. в пионе́рском ла́гере.
	жить в пала́тке.	

Where do you (most) like to	spend go for	your holidays?

(Most of all) I like going	to	the sea-side. the mountains. a Pioneer camp.
	camping. (lit.:living in a tent).	

Exercise 3

Two British students in Moscow, John, and Sarah, are telling a reporter from the *Pioneer* magazine about where they like spending their Summer, Winter and Easter holidays. They each mention two holidays.

Fill in which holidays they like spending where, and why. (Write down as many reasons as you can in the "Why" column.)

	Which holiday?	Where?	Why?
John	————	————	————
Sarah	————	————	————

207

Dialogue 3

Some of Petya's friends are discussing previous holidays they have had...
1. When did Sveta go through the Urals?
2. Where did Sveta stay at Lake Baikal?
3. What did Sveta do while she was on holiday?
4. Did Sveta and her family swim in Lake Baikal?
5. Name 5 things Natasha did while on holiday in the Crimea.

Ната́ша. Све́тка, ты когда́-нибудь была́ на Ура́ле?

Све́та. Нет, не была́, но мы проезжа́ли че́рез Ура́л, когда́ е́здили на Байка́л два го́да наза́д.

Алёша. Ты была́ на Байка́ле? Здо́рово!

Ната́ша. А где вы жи́ли там?

Све́та. У нас была́ путёвка в дом о́тдыха.

Алёша. До́лго вы там жи́ли?

Све́та. Нет, то́лько ме́сяц, а пото́м две неде́ли в пала́тке, пря́мо на берегу́ о́зера. Бы́ло, пра́вда, прохла́дно, но о́чень интере́сно.

Ната́ша. А что вы там де́лали?

Све́та. Гуля́ли, ката́лись на ло́дке, собира́ли грибы́, е́здили на экску́рсии. В Сиби́ри мне о́чень понра́вилось.

Ната́ша. А вы купа́лись в Байка́ле?

Све́та. Мы с ма́мой то́лько оди́н раз, а па́па ка́ждый день.

Алёша. Уж коне́чно, Байка́л—не Чёрное мо́ре.

Ната́ша. Да, в Чёрном мо́ре вода́ была́ о́чень тёплая. Мы ка́ждый день купа́лись и загора́ли.

Алёша. Зна́чит, вы проводи́ли вре́мя то́лько на пля́же?

Ната́ша. Ну что ты! Мы е́здили на экску́рсии, ча́сто ходи́ли в кафе́, дискоте́ку. Мы да́же е́здили теплохо́дом в Крым и бы́ли в музе́е Че́хова в Я́лте.

Све́та. Мне о́чень хоте́лось бы пое́хать в Крым!

О́зеро Байка́л

Ура́льские го́ры

Чёрное мо́ре. Крым

Questions and Answers to Learn (3)

1.

Ты	(когда́-нибудь)	был (á)	в	СССР?
Вы		бы́ли		США? Испа́нии? Ки́еве? до́ме о́тдыха?

Да, я был (á) там	два/три/четы́ре/ го́да пять/шесть... лет	наза́д.
	оди́н раз. два/три/четы́ре ра́за. пять/шесть/мно́го раз.	

Нет, я там никогда́ не был (á) .

Have you (ever) been to	the USSR? the USA? Spain? Kiev? a 'rest home'?	Yes,	I was there I've been there	2/3/4 5/6...	years ago.
				once. twice, 3/4 times. 5/many times.	
		No, I've never been there.			

2.

Куда́ ты	хо́чешь хоте́л (а) бы	пое́хать?	Я (о́чень)	хочу́ хоте́л (а) бы	пое́хать	на Чёрное мо́ре. на о́зеро Байка́л. на Кавка́з.

Where	do you want would you like	to go?	I	(really)	want	to go to	the Black Sea. Lake Baikal. the Caucasus.
			I'd		like		

3.

Ты	до́лго	жил (á)	там?	Я был (á) Мы бы́ли Я бу́ду Мы бу́дем	там	оди́н день. два/три/четы́ре дня. пять/шесть... дней.
Вы		жи́ли				
Ты		бу́дешь жить				одну́ неде́лю. две/три/четы́ре неде́ли. пять/шесть... неде́ль.
Вы		бу́дете				

How long	did you stay will you stay	there?	I was We were I will be We will be	there for	1 day. 2/3/4 days. 5/6... days.
					1 week. 2/3/4 weeks. 5/6... weeks.

4.

Где У кого́	ты жил (а́) вы жи́ли ты бу́дешь жить вы бу́дете жить	там?	Я жил (а́) Мы жи́ли Я бу́ду жить Мы бу́дем жить	в гости́нице. в пала́тке. в ке́мпинге. в общежи́тии. в пионе́рском ла́гере.
				у ба́бушки. у дру́га/подру́ги.

Where	did you stay (live) will you be staying	there?	I stayed We stayed I'll be staying We'll be staying	in a hotel. in a tent. on a camp-site. in a hostel. at a Pioneer camp.
				at my grandma's. at my friend's (M/F).

5.

Что ты	де́лал бу́дешь де́лать		там?
Как ты	проводи́л бу́дешь проводи́ть	вре́мя	

Я	купа́лся/бу́ду купа́ться пла́вал/бу́ду пла́вать	в мо́ре. в реке́.
	загора́л/бу́ду загора́ть лежа́л/бу́ду лежа́ть игра́л/бу́ду игра́ть	на пля́же.
	отдыха́л/бу́ду отдыха́ть гуля́л/бу́ду гуля́ть	в лесу́.
	ходи́л/бу́ду ходи́ть	в кино́/дискоте́ку. по музе́ям/магази́нам.
	ката́лся/бу́ду ката́ться на	ло́дке/я́хте. лы́жах/конька́х.

What	did will	you do	there?
How		you spend your time	

I	bathed/will bathe swam/will swim	in the sea. in the river.
	sunbathed/will sunbathe lay/will lie played/will play relaxed/will relax went/will go for walks	on the beach. in the woods.
	went/will go	to the cinema/disco. round museums/shops.
	went/will go	boating/sailing. skiing/skating.

Exercise 4. Зна́те ли вы Сове́тский Сою́з?

The Soviet Union is a vast country, and you can go on a great range of different types of holiday there.

Can you identify these popular holiday locations in the USSR from the descriptions below, taken from holiday brochures?

Match the following names with the description below, then match them with the correct place on the map. (See the map on p. 212.)

Во́лга   Байка́л   Ленингра́д   Крым
Кавка́з   Ура́л   Чёрное мо́ре   Ки́ев

1. ...Соверши́те пое́здку на теплохо́де по одно́й из са́мых больши́х рек СССР...

2. ...Отдыха́йте на берегу́ э́того замеча́тельного о́зера, са́мого глубо́кого в ми́ре! Здесь са́мая чи́стая вода́ на на́шей плане́те...

3. ...о́чень краси́вый го́род на се́вере СССР. Постро́ен Петро́м Пе́рвым как «окно́ в Евро́пу»...

4. ...краси́вый полуо́стров на берегу́ Чёрного мо́ря. Здесь вы найдёте мно́го куро́ртов, санато́риев и домо́в о́тдыха...

5. ...здесь вы уви́дите са́мые высо́кие го́ры на европе́йской ча́сти СССР...

6. ...Э́ти го́ры — на грани́це ме́жду Евро́пой и А́зией. Здесь нахо́дится больша́я промы́шленная ба́за СССР, но приро́да в гора́х о́чень краси́вая...

7. ...Са́мые популя́рные куро́рты СССР нахо́дятся на берегу́ э́того ю́жного мо́ря...

8. ...Посети́те столи́цу Украи́ны. Э́то оди́н из са́мых стари́нных и краси́вых городо́в СССР, располо́жен на берегу́ реки́ Днепр...

14*

Exercise 5

Now listen on the tape to six Russians describing where they went or are going, and what they did or will do on their holidays.
Look at the map and the symbols below and see if you can work out which activity fits which·place.

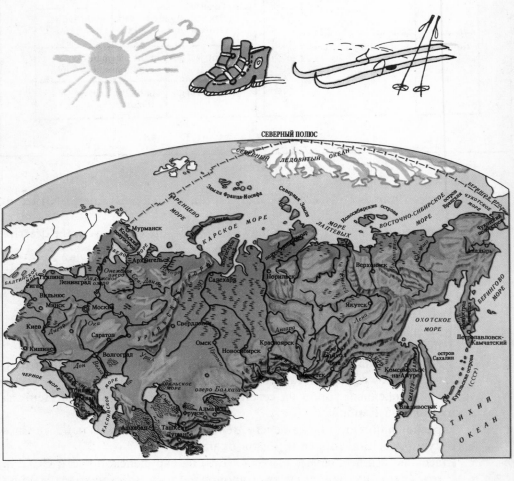

Письмо́ от Са́лли

Read Sally's latest letter and answer the questions below:
1. What did Petya write about in his last letter?
2. When do Sally's school holidays start?
3. Where is Sally going on holiday with her family and for how long?
4. Where will they live?
5. When Sally was in Scotland 3 years ago what did she do?
6. What sort of weather is Sally expecting in Scotland and in Moscow?

Write a letter to a Soviet penfriend about a holiday you have been on or will go on.

115 Longley Lane,
Sheffield
14 июля

Привет, Петя!
Большое спасибо за письмо, в котором ты рассказываешь о том, как вы проводите каникулы. У вас, наверное, каникулы уже начались? Хорошо, что ваши летние каникулы такие длинные. А мы отдыхаем летом только шесть недель. Но ещё у нас каникулы зимой, на Рождество (две недели), и весной, на Пасху (две недели), и, кроме того, у нас ещё "half-term holidays" (я не знаю, как это по-русски). Это - маленькие каникулы (одна неделя) три раза в год, обычно в октябре, в феврале и в июне.

А сейчас я очень жду поездку в Москву. Каникулы начинаются у меня через неделю. Потом мы всей семьёй поедем на две недели в Шотландию. Будем жить в палатке. Мы уже проводили там летние каникулы 2 года назад. Мы ходили в горы, а один раз даже купались в море, но было очень холодно. В Шотландии очень красиво, но часто идёт дождь. Ты знаешь, что в Англии тоже часто бывает дождь? Надеюсь, что в Москве в августе, когда я приеду, будет солнечно и тепло! Это совсем скоро!

До встречи!
Салли.

Vocabulary

BASIC

авто́бус bus
весе́нний Spring (*adj.*)
весна́ Spring
весно́й in Spring
зима́ Winter
зи́мний Winter (*adj.*)
зимо́й in Winter
кани́кулы holidays
ле́тний Summer (*adj.*)
ле́то Summer
ле́том in Summer
маши́на car
начина́ться/нача́ться to begin
осе́нний Autumn (*adj.*)
о́сень Autumn
о́сенью in Autumn
отдыха́ть/отдохну́ть to relax
Па́сха Easter
по́езд train
пое́здка trip/journey
продолжа́ться to continue/last
про́шлый last/previous
Рождество́ Christmas
самолёт aeroplane
семья́ family
сле́дующий next
уезжа́ть/уе́хать to go away
экску́рсия excursion/trip

бе́рег мо́ря seaside
восто́к East
гора́ hill/mountain
го́род city
гости́ница hotel
да́ча summer cottage
дере́вня countryside

за грани́цей abroad (to be...)
за грани́цу abroad (to go...)
за́пад West
ке́мпинг camp site
лес forest
мо́ре sea
пала́тка tent
река́ river
се́вер North
столи́ца capital
юг South
ю́жный Southern

А́нглия England
Во́лга the Volga
Волгогра́д Volgograd
Испа́ния Spain
Ки́ев Kiev
Ленингра́д Leningrad
Москва́ Moscow
США USA
Фра́нция France
Шотла́ндия Scotland
Я́лта Yalta

быва́ть to be/happen
встре́ча meeting
гуля́ть/погуля́ть to go for a walk
дискоте́ка discotheque
дождь rain; идёт дождь it's raining
жить to live/stay
игра́ть/сыгра́ть to play
кафе́ café
кино́ cinema

купа́ться to bathe/swim
лежа́ть to lie
магази́н shop
музе́й museum
пла́вать to swim
пляж beach
пого́да weather
погуля́ть to go for a walk
проводи́ть/провести́ to spend (time)
сиде́ть to sit
спорт sport
тёплый warm
холо́дный cold
чита́ть to read
высо́кий high
дли́нный long
интере́сный interesting
краси́вый beautiful
популя́рный popular
ску́чный boring
чи́стый clean
широ́кий wide

англича́нин Englishman
англича́нка Englishwoman
вода́ water
грибы́ mushrooms
гру́ппа group
друг friend (*m.*)
найти́ to find
окно́ window
пода́рок present
подру́га friend (*f.*)
покупа́ть to buy
по́мнить to remember

проезжа́ть/прое́хать to pass through
рассказа́ть/расска́зывать to tell
шко́льник school pupil

в са́мом де́ле in fact
всего́ all together/in all
да́же even
ка́ждый each/every
кро́ме того́ besides/in addition to (that)

отту́да from there
почти́ almost
ско́ро soon
це́лый whole

HIGHER

дом о́тдыха 'rest home'
куро́рт resort
ла́герь camp
лета́ть to go on a trip (by plane)
лете́ть/полете́ть to fly
общежи́тие hostel
о́тпуск leave/holidays
парохо́д steamship
пионе́рский ла́герь Pioneer camp
плыть/поплы́ть to swim/sail
полете́ть to fly
путёвка package holiday
теплохо́д (motor) ship

А́зия Asia
Байка́л (о́зеро) Lake Baikal
Балти́йское мо́ре Baltic Sea

Днепр the Dnieper
Евро́па Europe
Кавка́з the Caucasus
Крым the Crimea
Петрозаво́дск Petrozavodsk
Сиби́рь Siberia
Украи́на the Ukraine
Ура́л the Ural mountains
Чёрное мо́ре the Black Sea

бе́дный poor
беспоко́иться to worry
глубо́кий deep
замеча́тельный wonderful
ката́ться на лы́жах/конька́х/ло́дке/я́хте to go skiing/skating/boating/yachting/sailing

надея́ться to hope
о́зеро lake
посеща́ть/посети́ть to visit
посчита́ть to count/reckon
приро́да nature
промы́шленный industrial
про́сто simply
прохла́дный cool
раз once/time
середи́на middle
собира́ть/собра́ть to collect
собира́ться/собра́ться to be going to/intend to
со́лнечный sunny
стари́нный ancient
счита́ть/посчита́ть to count/reckon

EXTRA

альпини́ст climber
ба́за base/centre
дли́ться to last
европе́йский European
жа́лость a pity
загора́ть/загоре́ть to sunbathe
ката́ние на лы́жах skiing
лы́жный skiing (adj.)

мир world/peace
переду́мать to change one's mind
плане́та planet
полуо́стров peninsula
получа́ться to turn out to be
постро́ен built
похо́д hike

располо́жен situated
санато́рий sanatorium
секре́т secret
семе́стр term (at school)
соверши́ть to carry out/complete/make
я́годы berries
я́хта yacht

Dialogue 1

1. To the mountains.
2. Petya is going to stay with his Granny in the Ukraine in July, but in August he will be in Moscow.
3. He is going to the North for the whole Summer.
4. He's going by steamship to Petrozavodsk and from there by bus.
5. By train.

Exercise 1

	Usually	This year
Bill	abroad	mountains, Scotland, with parents and sister
Tanya	dacha	South, sea-side, by train
Seryozha	Leningrad	Pioneer camp, near Moscow, with friends

Exercise 2

	Where	When
Alyosha	Countryside, Ukraine, near Kiev	last year
Mary	USA, with her friend	in the Summer
Jacqueline	USSR, with parents (very interesting)	in the Winter

Dialogue 2

1. For a week.
2. Because she only has 6 weeks' school holidays which begin only in the last week of July.
3. That English schoolchildren have longer holidays in the Winter and Spring than Soviet children.
4. Soviet schoolchildren have one week's holiday in the Autumn, one week in the Spring, two weeks in the Winter and about three months in the Summer. Total: 16 weeks.
5. Soviet children have more — 16 weeks. (British children — 13!)

Exercise 3

	Which holiday	Where	Why
John	Summer	by the sea	likes swimming and playing on the beach
	Winter	in mountains	likes winter sports, especially skiing
Sarah	Summer	abroad	doesn't like English summer—weather always bad
	Easter (Spring)	countryside (England)	countryside (nature) very beautiful, likes walking in woods and by rivers

Dialogue 3

1. Two years ago when she was going to Lake Baikal.
2. She stayed in a 'rest home' (дом о́тдыха) for a month and then in a tent for two weeks.
3. She walked, went boating, collected mushrooms, went on trips.
4. Sveta and her mother went swimming once, her father went every day.
5. Swam; sunbathed; went on trips; went to the café and to the disco; went on a ship to the Crimea; visited the Chekhov Museum in Yalta.

Exercise 5

1. Sun — Crimea.
2. Boots — Caucasus.
3. Skis — Urals.
4. Basket of mushrooms — near Moscow.
5. Tent — Black Sea.
6. Ship — Volga and Volgograd.

Письмо́ от Са́лли

1. About things you can do in the holidays in Moscow.
2. In a week.
3. She is going to Scotland for two weeks.
4. In a tent.
5. She went to the mountains and once even swam in the sea.
6. In Scotland she expects it to rain, in Moscow she hopes it will be sunny and warm.

Добро пожаловать в Москву!

Dialogue 1

Sally and her schoolmates have just arrived at Sheremetyevo Airport in Moscow. Let's follow Sally's progress during her first few hours on Soviet soil...

A Паспортный контроль

First, she must go through Passport Control...
What five questions does the official ask her (apart from asking to see her passport, of course)?

Пограничник. Паспорт, пожалуйста.
Салли. Пожалуйста.
Пограничник. А как ваше имя?
Салли. Салли.
Пограничник. Как ваша фамилия?
Салли. Рид.
Пограничник. Ваша национальность?
Салли. Я англичанка.
Пограничник. Откуда вы приехали?
Салли. Я приехала из Англии.
Пограничник. А куда вы едете?
Салли. Я еду в Москву.

ДЛЯ ОПАЗДЫВАЮЩИХ ПАССАЖИРОВ
LAST MIN. CHECK-IN

CUSTOMS →

СТОЙКИ ОФОРМЛЕНИЯ НЕ ПОЗДНЕЕ 15 МИНУТ ДО ОКОНЧАНИЯ РЕГИСТРАЦИИ НА РЕЙС

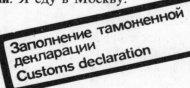

Заполнение таможенной декларации
Customs declaration

Касса оплаты за багаж сверх нормы
Excess baggage payment

В Таможня (таможенный контроль)

Sally has picked up her luggage and is now going through customs...
1. How much luggage has Sally got?
2. Which documents does the customs officer ask for?
3. Which part of her luggage does he ask her to open?
4. What sort of money does Sally say she has got?

 Таможенник. Это ваш багаж?

Салли. Да, вот мой сумка и чемодан.

Таможенник. Покажите, пожалуйста, паспорт, визу и декларацию.

Салли. Вот, пожалуйста.

Таможенник. Спасибо. Откройте чемодан, пожалуйста. Какие у вас деньги?

Салли. У меня английские фунты.

Таможенник. У вас есть советские деньги?

Салли. Нет.

C В гости́нице

Sally has now arrived at the hotel and is checking in at the reception desk...
1. What does Sally ask about filling in the registration form?
2. What does she forget to put on the form?
3. What does the **администра́тор** give her?
4. What is her room number?
5. What floor is it on?
6. Where is the lift?

Cа́лли. До́брый день!

Администра́тор. Здра́вствуйте. Запо́лните вот э́тот бланк, пожа́луйста.

Cа́лли. Его́ ну́жно запо́лнить по-ру́сски?

Администра́тор. Не обяза́тельно. Мо́жно по-англи́йски, е́сли вам тру́дно писа́ть по-ру́сски.

Cа́лли. Но я уме́ю писа́ть по-ру́сски.

Администра́тор. Пра́вда? Э́то прекра́сно. Тогда́ пиши́те по-ру́сски, пожа́луйста.

Cа́лли. Вот, пожа́луйста.

Администра́тор. Вам на́до подписа́ться вот здесь.

Cа́лли. Так?

Администра́тор. Да, спаси́бо. Вот ва́ша ка́рточка. Ва́ша ко́мната 443. Ключ от ко́мнаты у дежу́рной на четвёртом этаже́.

Cа́лли. Спаси́бо. А лифт здесь есть?

Администра́тор. Коне́чно, есть. Пройди́те, пожа́луйста, нале́во.

D На этаже́

Sally has checked in at her hotel and is now collecting her key from the **дежу́рная** (Floor supervisor).
1. What does the **дежу́рная** ask to see?
2. Which two places in the hotel does Sally ask about?
3. What floors are they on?
4. What question does the **дежу́рная** ask Sally?

Cа́лли. Да́йте мне, пожа́луйста, ключ от но́мера 443.

Дежу́рная. Покажи́те ка́рточку, пожа́луйста.

Cа́лли. Пожа́луйста.

Дежу́рная. Вот ваш ключ.

Сáлли. Спасúбо. Скажúте, пожáлуйста, где ресторáн и есть ли в гостúнице магазúн «Берёзка»?

Дежýрная. Ресторáн на пéрвом этажé, а «Берёзка» на пя́том.

Сáлли. Спасúбо большóе.

Дежýрная. Нé за что... Скажúте, дéвушка, скóлько дней вы собирáетесь жить в гостúнице?

Сáлли. Я собирáюсь пробы́ть в Москвé шесть дней.

Phrases to Learn (1)

1.

Кто вы по национáльности? Вáша национáльность?	Я	англичáнин/англичáнка. шотлáндец/шотлáндка. валлúец/валлúйка. ирлáндец/ирлáндка.
What is your nationality?	I am	English. Scottish. Welsh. Irish.

2.

Кудá вы éдете?	Я éду в Москвý/в Лóндон.
Where are you going to?	I am going to Moscow/to London.

3.

Это	ваш	багáж? чемодáн?
	вáша	сýмка?

Да, э́то	мóй	багáж. чемодáн.
	моя́	сýмка.

Is this your	luggage? case? bag?

Yes, this is my	luggage. case. bag.

4.

Покажи́те	докумéнты, пáспорт, прóпуск, ви́зу, деклара́цию, ка́рточку,	пожáлуйста!

Открóйте	чемодáн, сýмку,	пожáлуйста!

Запóлните	бланк/анкéту, деклара́цию,	пожáлуйста!

Show your	documents, passport, pass, visa, customs declaration, (visitor's) card,	please!

Open your	suitcase, bag,	please!

Fill in the	form, customs declaration,	please!

5.

Каки́е Кака́я	у вас	дéньги? валю́та?

У меня́	фýнты/рубли́/дóллары/дорóжные чéки.

What sort of	money currency	have you got?

I've got	pounds/roubles/dollars/traveller's cheques.

У вас есть	дóллары? дорóжные чéки? англи́йские фýнты? совéтские дéньги?

Нет, у меня́ нет	дóлларов. дорóжных чéков. англи́йских фýнтов. совéтских дéнег.

Have you got any	dollars? traveller's cheques? English pounds? Soviet money?

No, I've got no	dollars. traveller's cheques. English pounds. Soviet money.

6.

Скажи́те, пожáлуйста,	где на какóм этажé в гости́нице есть	лифт? рестора́н? буфéт? магази́н „Берёзка"? Бюрó обслу́живания?

Пря́мо по коридóру. Напра́во/налéво.		
На	пéрвом вторóм трéтьем	этажé.

Tell me please,	where is the on what floor is the is there (in the hotel) a	lift? restaurant? snack-bar? "Beryozka"? Service Bureau?	Straight down the corridor. On the right/left. On the 1st/2nd/3rd floor.

7.

Вы ско́лько	дне́й вре́мени	бу́дете собира́етесь	жить	здесь? у нас?	Оди́н день/одни́ су́тки. Два/три/четы́ре дня. Дво́е/тро́е/че́тверо су́ток.	
					Пять/шесть...	дней. су́ток.
					Одну́ неде́лю. Две/три/четы́ре неде́ли.	

How many days How long	will you do you intend to	stay here?	1/2/3/4/5... days.
			1/2/3/4/ weeks.

8.

Извини́те, но у меня́ в но́мере	хо́лодно/жа́рко.	
	нет	телефо́на. холоди́льника. мы́ла. горя́чей воды́.
	не рабо́тает	телефо́н/телеви́зор. душ/туале́т. кран/холоди́льник.
	не открыва́ется не закрыва́ется	дверь. окно́.

Excuse me, but in my room	it's cold/hot.		
	there's no	telephone. fridge. soap. hot water.	
	the	telephone television shower toilet tap fridge	doesn't	work.
		door window		open. close.

Exercise 1. Role Plays

Take it in turns with a partner to be the traveller or official or customs officer and act out these role plays in Russian:

1

Official. What is your surname?
Offic. What is your first name?
Offic. Where are you travelling to?

Traveller. My surname is Cooper.
T. My first name is Ann.
T. I'm going to Leningrad.

2

Official. What is your nationality?
Offic. Where have your come from?
Offic. Where are you travelling to?

Traveller. I'm Scottish *(m.)*.
T. I've come from Scotland.
T. I'm going to the Urals.

3

Official. Show me your passport and visa.
Offic. What is your nationality?
Offic. What is your surname, first name, and patronymic?

Traveller. Here you are.

T. I'm Russian *(f.)*.
T. My surname is Ivanova, my first name is Tatyana, my patronymic is Nikolayevna.

4

Customs Officer. Is this your luggage?

C. O. Open your suitcase, please.
C. O. What sort of money have you got?

Traveller. Yes, this is my suitcase and bag.
T. Here you are.
T. I've got pounds.

5

Customs Officer. Show me your luggage, please.
C. O. Have you got any Soviet money?

Traveller. Of course.

T. No, I've only got hard currency.

6

Customs Officer. Open your luggage, please.
C. O. Show me your currency declaration.
C. O. Fill in the form, please. Have you got any Soviet money?

Traveller. Here you are.

T. Here you are.

T. No, I've got no Soviet money.

Exercise 2. В аэропорту́

Below is an airport arrivals and departures board in English, but some of the information is missing. Listen to the Russian airport announcement on the tape and fill in as many extra details as you can.

DEPARTURE FLIGHT NUMBER	DESTINATION	VIA	SHEDULED	EXPECTED	CHECK IN	REMARKS
BA	LONDON		18.30			CHECK IN NOW
AZ 549	ROME		18.50		5 ⇒	
SU 583	TOKYO		19.05		⇐ 4	

ARRIVALS FLIGHT NUMBER	ORIGIN	VIA	SHEDULED	EXPECTED	GATE	REMARKS
SU 316	NEW YORK		13.25		⇐	
SU			16.55	16.55	⇒	
SAS 730	COPENHAGEN		17.35	17.30	⇒	

Exercise 3. Дежу́рная рабо́тает!

This дежу́рная is working very hard today. In the space of 15 minutes ten of the guests on her floor come to her with requests, questions, or complaints. Listen to the dialogues and work out in each case what the visitor wants and what reply he or she receives.

Dialogue 2

In her hotel room and unpacked, Sally decides to phone Petya...
1. When did Sally arrive at the hotel?
2. What excursions will Sally have on the next day?
3. Which hotel is Sally staying in?
4. Where and when does she arrange to meet Petya?

Са́лли. Алло́! До́брый день! Пе́тю мо́жно к телефо́ну?

Пе́тя. Да, э́то я... Неуже́ли э́то ты, Са́лли?! Как здо́рово, что ты уже́ в Москве́! Добро́ пожа́ловать! Когда́ ты прие́хала? Что ты собира́ешься де́лать?

Са́лли. Я прие́хала в гости́ницу в семь часо́в. Пожа́луйста, говори́ ме́дленно!

Пе́тя. Постара́юсь. Каки́е у тебя́ пла́ны на за́втра? Дава́й встре́тимся за́втра днём? У вас нет экску́рсии?

Са́лли. По-мо́ему, нет. У́тром у нас экску́рсия по го́роду, а днём по́сле обе́да у нас свобо́дное вре́мя.

Пе́тя. Хорошо́. Ты в како́й гости́нице?

Са́лли. В гости́нице «Орлёнок», на Ле́нинских гора́х.

Пе́тя. Хорошо́. Я бу́ду ждать тебя́ у вхо́да в гости́ницу в три часа́.

Са́лли. Повтори́, пожа́луйста.

Пе́тя. В три часа́ у вхо́да в гости́ницу. Хорошо́?

Са́лли. Хорошо́! До встре́чи!

Phrases to Learn (2)

1.

Каки́е	(интере́сные)	экску́рсии есть у	вас нас	за́втра сего́дня в суббо́ту	у́тром? днём? ве́чером?
Что Како́й музе́й	мы посети́м			на э́той на сле́дующей	неде́ле?

What	(interesting)	excursions trips/visits	have	you we	got for	tomorrow this Saturday	morning? afternoon? evening?
What Which museum	are we going to visit visiting					this next	week?

2.

Мо́жно посети́ть	э́ту це́рковь? э́тот цирк? э́тот зоопа́рк? э́тот заво́д? э́ту шко́лу?	Да, (коне́чно), мо́жно.
		Нет, (к сожале́нию), нельзя́.

Can I/we Is it possible to	visit the	church? circus? zoo? factory? school?	Yes, (of course)	you can. it's possible.
			No, (unfortunately)	you can't it's not possible.

3.

Ско́лько сто́ит экску́рсия	в	Коло́менское? Заго́рск?
	по	го́роду? Москве́-реке́?

How much does the excursion	to Kolomenskoye to Zagorsk around the town along the Moscow river	cost?

Exercise 4. Программа экскурсий

A group of tourists in the USSR finds the following incomplete programme of excursions pinned to the notice-board in their hotel on their arrival. When they meet their guide one of the group who speaks Russian decides to get a bit of practice by asking the guide some questions about this programme to fill in the gaps and find out some additional pieces of information. Look at the programme and listen to the dialogue, and see if you can fill in the gaps and work out the three pieces of additional information the tourist finds out.

Понеде́льник	8.00 за́втрак	9.00 экску́рсия по го́роду	12.00 обéд	14.00	18.00 у́жин	свобо́дное вре́мя
Вто́рник	7.30 за́втрак	10.00	13.00 обéд	посеще́ние ВДНХ	17.00 у́жин	18.00 теа́тр
Среда́	9.00 за́втрак	11.00 экску́рсия в Коло́менское	обéд	свобо́дное вре́мя	18.00 у́жин	свобо́дное вре́мя
Четве́рг	за́втрак	экску́рсия в Кремль	12.00 обéд	14.00	17.00 у́жин	18.00 цирк
Пя́тница	8.00 за́втрак	свобо́дное вре́мя	обéд	14.30 экску́рсия в музе́й	18.00 у́жин	свобо́дное вре́мя
Суббо́та	7.00 за́втрак	8.00 отъéзд в аэропо́рт				

Вы́ставка достиже́ний наро́дного хозя́йства

Музе́й-запове́дник «Коло́менское»

Откры́тки от Са́лли

As she is in Moscow, Sally decides to write postcards, in Russian, to those friends in her Russian class who could not afford to come to Moscow. Read through all the cards and answer these questions:

1. What pictures are on the three postcards which she sends?
2. What is the weather like in Moscow?
3. When will they visit the Kremlin?
4. Which places did Sally see on her tour around town?
5. Where is the hotel situated?
6. When will they visit the **ВДНХ** (Exhibition of Economic Achievements)?

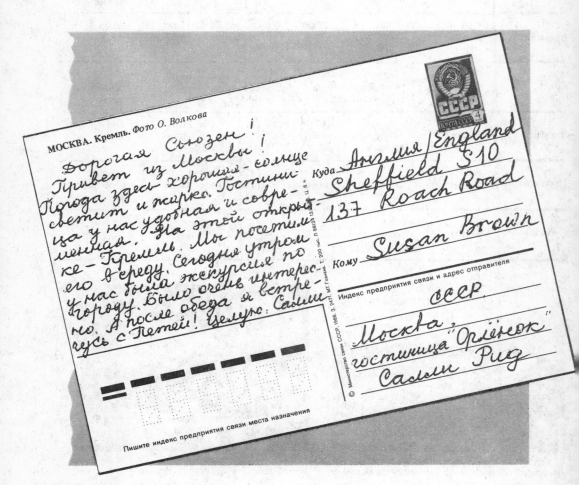

МОСКВА. Кремль. Фото О. Волкова

Дорога́я Сьюзен!
Приве́т из Москвы́! Пого́да здесь хоро́шая — со́лнце све́тит и жа́рко. Гости́ница у нас удо́бная и совреме́нная. На э́той откры́тке — Кремль. Мы посети́ли его в сре́ду. Сего́дня у́тром у нас была́ экску́рсия по го́роду. Бы́ло о́чень интере́сно. А по́сле обе́да я встре́чусь с Пе́тей! Целу́ю. Са́лли

Куда́ Англия / England
Sheffield S10
137 Roach Road

Кому́ Susan Brown

Индекс предприятия связи и адрес отправителя

СССР
Москва́
гости́ница "Орлёнок"
Са́лли Рид

Пишите индекс предприятия связи места назначения

МОСКВА. Новодевичий монастырь. Фото П. Костенко

Дорогая Шарон!

Мы прилетели в Москву вчера, и я сразу же позвонила Пете. Мы встретились сегодня пополудня. Наша гостиница недалеко от МГУ, и мы видим его из нашего окна. А в четверг у нас будет экскурсия на ВДНХ.

Целую, Салли

Куда Англия /England
Sheffield S10
42 Riverdale Road

Кому Sharon Summers

адрес

МОСКВА. Набережная Москвы-реки. Фото О. Волкова

Дорогой Том!

Посылаю тебе открытку с видом Тверской улицы. Мы её видели сегодня во время экскурсии по городу. Москва — очень большой и интересный город. Мы уже видели Кремль, университет, Большой театр и много памятников. Везде большое движение.

Целую, Салли.

Куда Англия /England
Sheffield S8
13 Redcar Road

Кому Tom Smith

Индекс предприятия связи и адрес отправителя

Москва, гост. Орлёнок
Салли Рид
СССР

© Министерство связи СССР. 1984. 3. 6175. МТ Гознак. Т. 1,0 млн. П. 49385 05.08.83. Ц. 6 к.

Индекс предприятия связи места назначения

229

Vocabulary

BASIC

анке́та form
бага́ж luggage
бланк form
валю́та hard currency
ви́за visa
вы́ход exit/gate (at airport)
деклара́ция customs declaration form
де́ньги money
докуме́нты documents
доро́жный чек traveller's cheque
и́мя first name
заполня́ть/запо́лнить to fill in
национа́льность nationality
откро́йте! open!
о́тчество patronymic
отъе́зд departure
па́спорт passport
па́спортный контро́ль Passport Control
писа́ть/написа́ть to write
пиши́те! write!
по-англи́йски in English
подпи́сываться/подписа́ться to sign
покажи́те! show (me)!
по-ру́сски in Russian
прие́зд arrival
прие́хать to arrive
су́мка bag
тамо́женник customs officer
тамо́женный контро́ль Customs
тамо́жня Customs
чемода́н suitcase

фами́лия surname
фунт pound
англи́йский English
англича́нин/англича́нка Englishman/woman
А́нглия England
валли́ец/валли́йка Welshman/woman
Великобрита́ния Great Britain
ирла́ндец/ирла́ндка Irishman/woman
Ирла́ндия Ireland
ру́сский Russian
сове́тский Soviet
СССР USSR
Уэ́льс Wales
шотла́ндец/шотла́ндка Scotsman/woman
Шотла́ндия Scotland

«Берёзка» "Beriozka" (foreign currency) shop
буфе́т snack bar
бюро́ Интури́ста Intourist bureau
вход entrance
гости́ница hotel
дежу́рная woman on duty/ "floor-receptionist"
жить to live/stay
ка́рточка hotel visitor's card
ключ key
ко́мната room
коридо́р corridor
лифт lift
но́мер в гости́нице number/ hotel room

про́пуск entry pass
рестора́н restaurant
эта́ж floor

вода́ water
горя́чий hot (water, food, etc.)
дверь door
душ shower
жа́рко hot
мы́ло soap
окно́ window
рабо́тать to work
ремо́нт repair
телеви́зор television
телефо́н telephone
туале́т toilet
холоди́льник fridge
хо́лодно cold

Большо́й теа́тр Bolshoi theatre
ВДНХ VDNKh (Exhibition of Economic Achievements)
зоопа́рк zoo
Кремль the Kremlin
магази́н shop
музе́й museum
па́мятник monument/statue
ры́нок market
Тверска́я у́лица Tverskaya St.
теа́тр theatre
у́лица street
университе́т university
цирк circus

за́втрак breakfast
закрыва́ть/закры́ть to close

закрыва́ться/закры́ться to be closed
закры́т closed
обе́д lunch/dinner
открыва́ться/откры́ться to be open
откры́т open
отправля́ться/отпра́виться to set off

свобо́дное вре́мя free time
у́жин dinner/supper
экску́рсия excursion

до встре́чи! see you later!
до ско́рой встре́чи! see you soon!
забыва́ть/забы́ть to forget

звони́ть/позвони́ть to phone
ме́дленно slowly
повтори́ть to repeat
посыла́ть/посла́ть to send
тру́дно it's difficult
уме́ть to be able/know how to do
целова́ть to kiss

HIGHER

администра́тор manager
бюро́ обслу́живания Service bureau
кран tap
парикма́херская hairdresser's

беспла́тно free
беспоко́иться to worry
везде́ everywhere
вы́ставка exhibition
движе́ние traffic/movement
добро́ пожа́ловать! welcome!

до́брый день! Hello!
ждать to wait
посеща́ть/посети́ть to visit
посеще́ние visit
приноси́ть/принести́ to bring
собира́ться/собра́ться to plan (to do)
совреме́нный modern
стара́ться/постара́ться to try
су́тки 24 hours/one day
удо́бный comfortable

це́рковь church

аэропо́рт airport
внима́ние attention
поса́дка boarding
прилета́ть/прилете́ть to arrive (by plane)
проси́ть/попроси́ть to ask/request
рейс flight
самолёт plane

EXTRA

вы́звать to call (out)
вы́лет departure
до́ллар dollar
Ле́нинские го́ры Lenin Hills
мину́точку just a minute

монасты́рь monastery
неуже́ли really
опозда́ние delay
погра́ничник boarder guard

прилёт arrival
те́хник technician (electrician, plumber, etc.)
тури́стский tourist (adj.)

Dialogue 1

A

1. What's your surname?
2. What's your (first) name?
3. What's your nationality?
4. Where have you come from?
5. Where are you going to?

B

1. Bag and suitcase.
2. Passport, visa, customs declaration.
3. Suitcase.
4. (English) Pounds.

C

1. Does it have to be filled in Russian?
2. Her signature.
3. A (hotel) card.
4. No. 443.
5. 4th floor.
6. On the left.

D

1. Her card.
2. Restaurant and Beriozka.
3. 1st floor and 5th floor.
4. How many days will you stay here?

Exercise 2

DEPARTURE						
FLIGHT NUMBER	DESTINATION	VIA	SHEDULED	EXPECTED	CHECK IN	REMARKS
BA 018	LONDON		18.30		← 2	CHECK IN NOW
AZ 549	ROME	MILAN	18.50		5 →	
SU 582	TOKYO		19.05		← 4	
ARRIVALS						
FLIGHT NUMBER	ORIGIN	VIA	SHEDULED	EXPECTED	GATE	REMARKS
SU 316	NEW YORK		13.25	16.30	←	
SU 204	HELSINKI		16.55	16.55	→	
SAS 730	COPENHAGEN	STOKHOLM	17.35	17.30	→	

Exercise 3

1. Telephone in room does not work.
2. Is there a hairdresser's?
3. Is there an Intourist Bureau nearby?

4. There's no soap in the room.
5. The key to room No. 67, please.
6. Where is the snack bar?

— **Дежу́рная** will phone manager.
— Yes, on the 4th floor.
— Yes, not far, go out of the hotel and turn right.
— I will bring some in a minute.
— Can I see your card, please? Here you are.
— It's on the 1st floor, but it's closed now; opens in half an hour.

7. Shower does not work.
8. The lift does not work.

— I will have a look.
— Sorry, it's being repaired today, take another one, please. It's just round the corner to the right.

9. It's cold in room.
10. There's no hot water in the room.

— Did you forget to shut the window last night?
— I will call the plumber (technician).

Dialogue 2

1. 7 o'clock.
2. Excursion around town in the morning.

3. Hotel Orlyonok, on the Lenin Hills.
4. At 3 o'clock at the entrance to the hotel.

Exercise 4

Понеде́льник	8.00 за́втрак	9.00 экску́рсия по го́роду	12.00 обе́д	14.00 экску́рсия „Моско́вское метро́"	18.00 у́жин	свобо́дное вре́мя
Вто́рник	7.30 за́втрак	10.00 экску́рсия в музе́й Ле́нина	13.00 обе́д	14.30 посеще́ние ВДНХ	17.00 у́жин	18.00 Большо́й теа́тр
Среда́	9.00 за́втрак	11.00 экску́рсия в Коло́менское	14.00 обе́д	свобо́дное вре́мя	18.00 у́жин	свобо́дное вре́мя
Четве́рг	8.15 за́втрак	9.45 экску́рсия в Кремль	12.00 обе́д	14.00 экску́рсия в Новоде́вичий монасты́рь	17.00 у́жин	18.00 цирк
Пя́тница	8.00 за́втрак	свобо́дное вре́мя	12.30 обе́д	14.30 экску́рсия в музе́й Пу́шкина	18.00 у́жин	свобо́дное вре́мя
Суббо́та	7.00 за́втрак	8.00 отъе́зд в аэропо́рт				

The tourist also discovers that:
1. The tour around town is free.
2. The excursion to Kolomenskoye costs £ 3.
3. Can visit the market. Open every day until 19.

Откры́тки от Са́лли

1. Kremlin, Tverskaya St., Novodevichi Convent.
2. The sun is shining and it's hot.
3. Wednesday.
4. Tverskaya St.; University; Kremlin; Bolshoi Theatre; lots of monuments.
5. It's not far from the University.
6. Thursday.

Unit 14

До свидания, Москва!

Dialogue 1

Sally is hoping to go shopping with Petya later. But first she must exchange some money...

1. Does Sally want to change travellers' cheques or money?
2. What two documents must she show?
3. How much money does she want to change?
4. What does Sally particularly ask for?
5. What does she have to do before the man gives her the money?

 Са́лли. Извини́те, пожа́луйста, здесь мо́жно обменя́ть де́ньги?

Касси́р. Да, мо́жно. Кака́я у вас валю́та?

Са́лли. У меня́ англи́йские фу́нты.

Касси́р. Вы хоти́те обменя́ть де́ньги и́ли доро́жные че́ки?

Са́лли. У меня́ че́ки.

Касси́р. И ско́лько вы хоти́те обменя́ть?

Са́лли. Де́сять фу́нтов. Вот че́ки.

Касси́р. Спаси́бо. Да́йте мне, пожа́луйста, ваш па́спорт и деклара́цию.

Са́лли. Пожа́луйста. Вы мо́жете дать мне ме́лкие де́ньги?

Касси́р. Да, но снача́ла нам нужна́ ва́ша по́дпись. Подпиши́тесь здесь, пожа́луйста.

Са́лли. Пожа́луйста.

Касси́р. Вот ва́ши де́ньги — 107 рубле́й и ме́лочь — 65 копе́ек.

Са́лли. Большо́е спаси́бо. До свида́ния!

Касси́р. Не́ за что. Всего́ хоро́шего!

Questions and Answers to Learn (1)

1.

Здесь мо́жно обменя́ть де́ньги?	Да, коне́чно.
	Нет,	банк напро́тив.
		обме́н де́нег на пе́рвом этаже́.

Can I change money here?	Yes, of course.
	No,	the bank is opposite.
		the exchange office is on the 1st floor.

| Вы хоти́те обменя́ть | де́ньги? доро́жные че́ки? | Я хочу́ обменя́ть че́ки. |

| Do you want to change | money? traveller's cheques? | I want to change cheques. |

2.

| Кака́я Каки́е | у вас | валю́та? де́ньги? | У меня́ англи́йские фу́нты. |

| What sort of | foreign currency money | have you got? | I've got English pounds. |

3.

| Ско́лько вы хоти́те обменя́ть? | Я хочу́ обменя́ть де́сять фу́нтов. |

| How much do you want to change? | I want to change 10 pounds. |

4.

| Да́йте мне, пожа́луйста, | ме́лкие де́ньги. ме́лочь. | Вот, | пожа́луйста. ва́ши де́ньги. |

| Please give me | coins. change. | Here | you are. is your money. |

5.

| Здесь нужна́ ва́ша по́дпись. Подпиши́тесь здесь, пожа́луйста. | Пожа́луйста. |

| You must sign here. Sign here please. | There you are. |

235

Exercise 1. Role Plays

With a partner take it in turns to play the parts of the tourist and man behind the counter and act out these role plays:

1

Cashier. What sort of money have you got?
C. How much do you want to change?
C. Give me the money, please.
C. Here is 15 roubles.

Tourist. I've got American dollars.
T. 20 dollars.
T. Here you are.
T. Thank you and good bye.

2

Tourist. Can I change money here?
T. I want to change 10 pounds.

T. I've got travellers' cheques.

T. Here you are.

Cashier. Yes, of course.
C. Have you got money or travellers' cheques?
C. Give me your passport and currency declaration, please.
C. Here is your money.

3

Tourist. Is this an exchange office?

T. I've got French francs.
T. 100 francs.
T. Here you are.

Cashier. Yes, what sort of foreign currency have you got?
C. How much do you want to change?
C. You must sign here.
C. And here's your money.

4

Tourist. Can you tell me please where the exchange office or bank is.

Cashier. The bank is on the second floor.

5

Tourist. Can I change money here?

T. I want to change £20 in travellers' cheques.
T. Please, give me notes and coins.

Cashier. Yes, do you want to change money or travellers' cheques?
C. Sign here, please.

C. There you are.

Dialogue 2

Sally is waiting for Petya by the entrance to the hotel...
1. What does Petya give Sally?
2. Why is Petya glad Sally has already been on a bus trip around Moscow?
3. What does Sally want to buy?
4. Where does Petya suggest they go?

Пе́тя. Са́лли, здра́вствуй! Добро́ пожа́ловать в Москву́! Вот э́то тебе́.

Са́лли. Здра́вствуй, Пе́тя! Спаси́бо большо́е за цветы́!

Пе́тя. Ты уже́ успе́ла посмотре́ть Москву́?

Са́лли. Да, у нас уже́ была́ авто́бусная экску́рсия по го́роду. Мне о́чень понра́вилось!

Пе́тя. Э́то хорошо́, что тебе́ показа́ли Москву́ без меня́. Я ещё плохо́й экскурсово́д по Москве́. Вот е́сли бы ты прие́хала в Ленингра́д!

Са́лли. Пожа́луйста, говори́ ме́дленнее, я не всё понима́ю!

Пе́тя. Извини́. Ну, что ты хо́чешь де́лать сейча́с?

Са́лли. Дава́й пойдём в магази́н. Мне на́до купи́ть мно́го пода́рков, откры́тки и ма́рки. Ты мне помо́жешь? Мне тру́дно всё вре́мя говори́ть по-ру́сски.

Пе́тя. Коне́чно, я тебе́ помогу́. Нам лу́чше пойти́ на Тверску́ю: там мно́го магази́нов и Центра́льный телегра́ф. Пошли́ в метро́. Что тебе́ на́до купи́ть?

Са́лли. Я хочу́ купи́ть матрёшку для ма́мы, пласти́нку для па́пы и значки́ для бра́та. Да, и ещё сувени́р для ба́бушки.

Пе́тя. Хорошо́, пошли́ в магази́н «Пода́рки».

Dialogue 3

Petya and Sally at the Souvenir Shop on Tverskaya St.
1. What does Sally want to look at?
2. How much does the matryoshka doll cost?
3. How much does the spoon cost?
4. What else does Sally need to buy?

Са́лли. Мне нра́вится э́та матрёшка. Мо́жно посмотре́ть?
Пе́тя. Да, я попрошу́. Де́вушка, да́йте матрёшку посмотре́ть, пожа́луйста!
Продавщи́ца. Пожа́луйста.
Пе́тя. А ско́лько сто́ит э́та матрёшка?
Продавщи́ца. Четы́ре рубля́ со́рок копе́ек.
Са́лли. Хорошо́, я куплю́ э́то для ма́мы. А что я могу́ купи́ть для ба́бушки?
Пе́тя. Э́та ло́жка о́чень краси́вая. Она́ сто́ит рубль пятьдеся́т копе́ек.
Са́лли. Хоро́шая иде́я! Я пойду́ в ка́ссу плати́ть за ло́жку и матрёшку. А по́сле э́того пойдём на по́чту и ку́пим откры́тки и ма́рки, ла́дно?
Пе́тя. Коне́чно.

Dialogue 4

Petya and Sally are at the Central Telegraph Office...
1. How much does it cost to send a postcard to England from the USSR?
2. How many stamps and cards does Sally buy?
3. Where is the post box?
4. What does Petya suggest they do next?

Пе́тя. Ну вот и Центра́льный телегра́ф. Тебе́ на́до посла́ть в А́нглию пи́сьма и́ли откры́тки?
Са́лли. Откры́тки. Ты не зна́ешь, ско́лько сто́ят ма́рки?
Пе́тя. В А́нглию — со́рок пять копе́ек.
Са́лли. Хорошо́, подожди́ меня́ здесь... Да́йте мне, пожа́луйста, де́сять откры́ток и во́семь ма́рок по со́рок пять копе́ек.
Де́вушка. С вас четы́ре рубля́ шестьдеся́т копе́ек. Вот ва́ши ма́рки и откры́тки.

Москва́. Центра́льный телегра́ф

Са́лли. Спаси́бо. А вы не ска́жете, где почто́вый я́щик?

Де́вушка. Почто́вый я́щик у вхо́да спра́ва.

Са́лли. Спаси́бо... Пе́тя, куда́ нам тепе́рь?

Пе́тя. Ты не уста́ла? Дава́й пойдём в кафе́, там мо́жно отдохну́ть, попи́ть чего́-нибудь и поговори́ть.

Са́лли. Пошли́.

Exercise 2. Role Play. Что вы хоти́те посла́ть?

Here are some of the things you can find in a post office in the USSR. How many of them would you also find in an English post office? At the bottom of the page are some signs for the different counters in a Soviet Post Office. Can you work out at which of them you could buy the items on this page?

Questions and Answers to Learn (2)

1.

Скажи́те, пожа́луйста, где	по́чта? Центра́льный телегра́ф? почто́вый я́щик?

По́чта напра́во.
Центра́льный телегра́ф на Тверско́й у́лице.
Почто́вый я́щик у вхо́да.

Where is the	post office, please? Central Telegraph? post box?	The	post office is on the right. Central Telegraph in Tverskaya St. post box is by the entrance.

2.

Ско́лько сто́ит отпра́вить	письмо́ в А́нглию? откры́тку в Ленингра́д? посы́лку во Фра́нцию? телегра́мму в Минск?	Пятьдеся́т одну́ копе́йку. Пять копе́ек.
		Э́то зави́сит от / ве́са посы́лки. коли́чества слов.

How much is it to send a	letter postcard parcel telegram	to	England? Leningrad? France? Minsk?	51 kopecks by air mail. 5 kopecks.
				It depends on the / weight, number of words.

3.

Я хочу́ отпра́вить	авиаписьмо́. э́ту откры́тку	в	А́нглию. Ита́лию.	Э́то сто́ит	51 копе́йку. 35 копе́ек.

I want to send	an airletter this postcard	to	England. Italy.	It coste 51/35 kopeks.

4.

Да́йте мне, пожа́луйста,	одну́ ма́рку две/три/четы́ре ма́рки пять ма́рок	по	четы́ре копе́йки. де́сять копе́ек. три́дцать пять копе́ек.
	оди́н конве́рт. шесть междунаро́дных конве́ртов. одну́ откры́тку. две/три/четы́ре откры́тки. де́сять откры́ток с ви́дами Москвы́.		

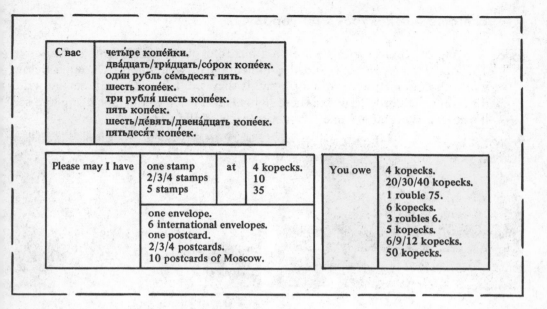

С вас	четы́ре копе́йки. два́дцать/три́дцать/со́рок копе́ек. оди́н рубль се́мьдесят пять. шесть копе́ек. три рубля́ шесть копе́ек. пять копе́ек. шесть/де́вять/двена́дцать копе́ек. пятьдеся́т копе́ек.

Please may I have	one stamp 2/3/4 stamps 5 stamps	at	4 kopecks. 10 35		You owe	4 kopecks. 20/30/40 kopecks. 1 rouble 75. 6 kopecks. 3 roubles 6. 5 kopecks. 6/9/12 kopecks. 50 kopecks.
	one envelope. 6 international envelopes. one postcard. 2/3/4 postcards. 10 postcards of Moscow.					

Exercise 3. Пи́сьма, ма́рки и посы́лки

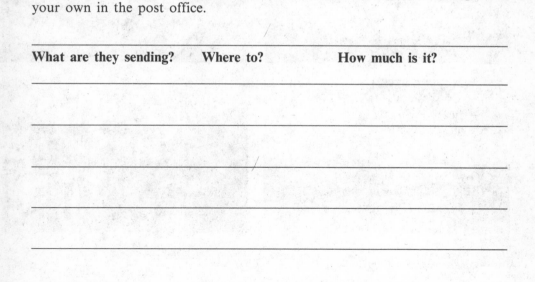

Post offices are very busy places. Listen to the eight dialogues on the tape and fill in the table below. Then use some of the realia and the questions and answers on the previous pages and with a partner make up some dialogues of your own in the post office.

What are they sending?	Where to?	How much is it?

16—1648

Exercise 4. Экскурсия по городу

A group of Russian tourists are on a bus tour of the main sights in Moscow. Their guide gives them a guided commentary of what they are seeing. Below you will see some photos of all the sights they see. Listen to the tape and write down in which order they see these sights. Then listen to the tape again and see if you can write down one fact about each of the sights.

По Москве-реке
Лужники. Центральный стадион
им. В. И. Ленина
Новодевичий монастырь

Здание МГУ на Ленинских горах
Кремль
Тверская улица

Dialogue 5

Sally's last evening in Moscow. She and Petya are going for an evening stroll around Red Square...
1. What did Sally particularly like in Moscow?
2. Will Sally return to Moscow next year?
3. What plans has Sally got for the future?
4. What does Petya think of Sally's plans?
5. When will Petya write to Sally again?
6. What final request does Petya make?

 Са́лли. За́втра я бу́ду опя́ть в Шэ́ффилде. Как стра́нно!

Пе́тя. Да, и печа́льно! Са́лли, тебе́ понра́вилась Москва́? Ты ещё прие́дешь в Москву́?

Са́лли. Да, Москва́ — о́чень краси́вый и интере́сный го́род. Осо́бенно мне нра́вятся Кра́сная пло́щадь и Арба́т.

Пе́тя. Так ты обяза́тельно прие́дешь сюда́?

Са́лли. Обяза́тельно. В сле́дующем году́ я наде́юсь продо́лжить изуче́ние ру́сского языка́ в шесто́м кла́ссе... е́сли я сдам экза́мены.

Пе́тя. И тогда́ ты в сле́дующем году́ прие́дешь в Москву́?

Са́лли. Наве́рно, нет. Э́то дово́льно до́рого.

Пе́тя. Жаль...

Са́лли. Но е́сли я сдам экза́мены за шесто́й класс, я могу́ поступа́ть в университе́т, что́бы изуча́ть ру́сский язы́к. И тогда́ я бу́ду приезжа́ть сюда́ дово́льно ча́сто.

Пе́тя. Вот э́то бу́дет здо́рово! Мо́жет быть, ты бу́дешь изуча́ть ру́сский язы́к в МГУ. Я то́же бу́ду студе́нтом э́того университе́та! Обяза́тельно!

Са́лли. Да, мо́жет быть. Но пока́ мы бу́дем перепи́сываться, пра́вда?

Пе́тя. Коне́чно, я тебе́ напишу́, зна́ешь когда́... сего́дня ве́чером, когда́ я верну́сь домо́й... Са́лли, у меня́ есть одна́ про́сьба.

Са́лли. Кака́я?

Пе́тя. Я хочу́ тебя́ поцелова́ть. Мо́жно?

Са́лли. Коне́чно.

16*

Vocabulary

BASIC

англи́йский English
банк bank
валю́та hard currency
ме́лочь change
моне́та coin
обме́н де́нег money exchange (office)
обме́нивать/обменя́ть to change
подпи́сывать/подписа́ть to sign
по́дпись signature
фунт pound (£)
чек (доро́жный) (travellers') cheque

а́виа airmail
авиаписьмо́ airletter
да́йте! give me!
конве́рт envelope
ма́рка по ... копе́ек/копе́йки stamp for ... kopecks
отправля́ть/отпра́вить to send
письмо́ letter
посы́лка parcel
по́чта Post Office
почто́вый я́щик post box
ско́лько сто́ит? how much is it?
Центра́льный телегра́ф Central Telegraph

ка́сса cash desk
ло́жка spoon
ма́рка stamp
матрёшка matryoshka doll
откры́тка postcard
пода́рок present
сувени́р souvenir
цветы́ flowers

Кра́сная пло́щадь Red Square
Кремль The Kremlin
Москва́-река́ Moscow-river
стадио́н stadium

HIGHER

жаль it's a shame
значо́к badge
обяза́тельно definitely

поцелова́ть to kiss

бланк form

гла́вный main
телегра́мма telegram

EXTRA

Арба́т Arbat (old part of Moscow)
вес weight
дворе́ц palace
длина́ length

зави́сеть от... to depend on...
ку́пол dome
монасты́рь monastery
Моссове́т Moscow Town Hall

перепи́ска correspondence
печа́льно it's sad
постро́ен(а) built
собо́р cathedral

Dialogue 1

1. Travellers' cheques. 2. Passport and currency declaration. 3. £10. 4. Change. 5. To sign.

Dialogue 2

1. Flowers. 2. Because he's still a bad guide around Moscow, he knows Leningrad better. 3. Matryoshka doll for Mother, record for Father, badges for brother, souvenir for Granny. 4. Tverskaya.

Dialogue 3

1. Matryoshka. 2. 4 roubles 40 kopecks. 3. 1 rouble 50. 4. Stamps and postcards.

Dialogue 4

1. 45 kopecks. 2. 10 postcards and 8 stamps at 45 kopecks. 3. On the right by the entrance. 4. Go to a café for a rest, drink and a chat.

Exercise 3

What are they sending?	Where to?	How much is it?
3 postcards	Hungary	48 kopecks
parcel	Leningrad	1 rouble 40 kopecks
telegram	France	4 roubles 50 kopecks
a letter	Japan	51 kopecks
6 postcards	USA	2 roubles 88 kopecks
parcel	England	8 roubles 35 kopecks
telegram	Minsk	2 roubles
a letter	Italy	51 kopecks

Exercise 4

1. Kremlin; built in 15th c., in it 3 cathedrals, 2 churches, and many palaces.
2. Tverskaya; main street of capital, many interesting buildings, on left Hotel Intourist, and then the Central Telegraph Office and Mossoviet.
3. River; 502 km. long, in the Summer you can go on a boat trip along it.
4. Moscow University; built in 1953, about 32,500 students study here. There's a good view of Moscow from here.
5. Lenin Stadium; built in 50's. 103,000 spectators can watch football.
6. Novodevichi Convent; got beautiful domes, was built in 17th c., was very famous convent.

Dialogue 5

1. Red Square and the Arbat.
2. No, it's too expensive.
3. Next year she hopes to continue studying Russian in the 6th form, if she's passed her exams. If she passes her exams in the 6th form she can study Russian at University and come to the USSR often.
4. He's pleased, perhaps they will study at Moscow University together.
5. Tonight when he gets home.
6. Can he kiss her?

General Vocabulary

а and/but
где where (at)
где́-нибудь somewhere/any-where
где́-то somewhere
е́сли if
ещё still/again; **кто ещё** who else; **что ещё** what else; **ещё не...** not yet; **ещё раз** once more/again
здесь here
и and
и́ли or
как how
како́й which/what sort
когда́ when
когда́-нибудь sometime/any time/ever
когда́-то sometime
кто who
кто́-нибудь someone/anyone
кто́-то someone
куда́ where (to)
куда́-нибудь (to) somewhe-re/anywhere
куда́-то (to) somewhere
нигде́ nowhere
никогда́ never
никто́ no one
никуда́ (to) nowhere
ничего́ nothing
но but
отку́да where from
потому́ что because
почему́ why
ско́лько how much/many
та́кже also (= in addition)
там there

то́же also (= likewise)
то́лько only
туда́ (to) there
тут here
уже́ already
уже́ не... no longer...
что́ what
что́-нибудь something/any-thing
что́-то something

бли́зко near
вдруг suddenly
вообще́ generally
всегда́ always
давно́ a long time (ago)
далеко́ от... far/a long way from...
до́лго (for) a long time
иногда́ sometimes
коне́ц end; **в конце́ концо́в** in the end
коне́чно of course
наве́рное probably
наза́д ago
наконе́ц at last
недалеко́ от... not far from...
обы́чно usually
обяза́тельно for certain
опя́ть again
осо́бенно particularly
пе́ред before
по́здно late
по́зже later
по́сле after
пото́м then/later/afterwards
ра́но early
ра́ньше earlier/before

ре́дко rarely
сейча́с now
сра́зу at once/straight away
тепе́рь now
тогда́ then
ча́сто often

бо́льше more; **бо́льше всего́** most of all
большо́й big
лу́чше better
ма́ленький small
ма́ло few/a bit/a little
ме́ньше less
мно́го many/a lot
немно́го not much/many
о́чень very (a lot)
пло́хо bad(ly)
плохо́й bad
прав/права́/пра́вы right/cor-rect
пра́вда true/truth
прекра́сно splendid/fine
прия́тно pleasant
рад/ра́да/ра́ды pleased
совсе́м не... not at all
ужа́сно terrible
хоро́ший good
хорошо́ well/good
ху́же worse

быть to be
встре́ча meeting
встреча́ть(ся)/встре́тить(ся) to meet
говори́ть to speak/say
го́род city/town

до́лжен/должна́/должно́/должны́ should/ought

е́здить to go (by transport)

е́хать/пое́хать to go (by transport)

жить to live

захоте́ть to want

знать to know

идти́/пойти́ to go (on foot)

каза́ться (ка́жется) to seem (it seems)

люби́ть/полюби́ть to like/love

мо́жно possible (may/can)

мочь/смочь to be able (can)

на́до necessary (must)

нельзя́ impossible (can't/mustn't)

нра́виться/понра́виться to like

ну́жен/нужна́/ну́жно/нужны́ need/must

пое́хать to go (by transport)

пойти́ to go (on foot)

понра́виться to like

рабо́та work/job

рабо́тать to work

сказа́ть to say/tell

ходи́ть to go (on foot)

хоте́ть/захоте́ть to want

хоте́ться/захоте́ться to feel like/want to

дава́й(те)... let's...

действи́тельно indeed/really

до свида́ния good bye

жаль/жа́лко it's a pity

здо́рово! great!/brilliant!

здра́вствуй(те) hello

зна́чит so/that means

извини́(те) excuse me/sorry

к сожале́нию unfortunately

кста́ти by the way

ла́дно OK/fine/agreed

ме́жду про́чим by the way

по-ва́шему in your opinion

пожа́луй perhaps/probably/I think

пожа́луйста please/don't mention it

по-мо́ему in my opinion/I think

по-тво́ему in your opinion

прости́(те) excuse me/sorry

разреши́(те) allow (me)

скажи́(те) tell (me)

спаси́бо thank you

с удово́льствием with pleasure

ве́чер evening

ве́чером in the evening

вчера́ yesterday

год year

день day

днём in the afternoon

за́втра tomorrow

лет years (5 +)

ме́сяц month

мину́та minute

неде́ля week

ночь night

но́чью at night

позавчера́ the day before yesterday

послеза́втра the day after tomorrow

сего́дня today

секу́нда second

у́тро morning

у́тром in the morning

в (+ Acc./Prep.) in/at/to

для (+ Gen.) for

до (+ Gen.) up to/till/before

за (+ Inst.) behind

из (+ Gen.) out of/from

к (+ Dat.) towards

ми́мо (+ Gen.) past

на (+ Acc./Prep.) on/at/to

над (+ Inst.) over/above

напро́тив (+ Gen.) opposite

о́коло (+ Gen.) around/near

от (+ Gen.) from

пе́ред (+ Inst.) before/in front of

по (+ Dat.) along

под (+ Inst.) under

ря́дом с... (+ Inst.) next to/beside

с (+ Inst.) with

у (+ Gen.) at/by

че́рез (+ Acc.) across/through

янва́рь January

февра́ль February

март March

апре́ль April

май May

ию́нь June

ию́ль July

а́вгуст August

сентя́брь September

октя́брь October

ноя́брь November

дека́брь December

понеде́льник Monday

вто́рник Tuesday

среда́ Wednesday

четве́рг Thursday

пя́тница Friday

суббо́та Saturday

воскресе́нье Sunday

оди́н/одна́ (f.)/одно́ (n.) one

два/две (f.) two

три three

четы́ре four

пять five

шесть six

семь seven

во́семь eight

де́вять nine

де́сять ten

оди́ннадцать eleven

двена́дцать twelve

трина́дцать thirteen

четы́рнадцать fourteen

пятна́дцать fifteen

шестна́дцать sixteen

семна́дцать seventeen

восемна́дцать eighteen

девятна́дцать nineteen

два́дцать twenty

три́дцать thirty

со́рок forty

пятьдеся́т fifty

шестьдеся́т sixty

се́мьдесят seventy

во́семьдесят eighty

девяносто ninety	**тысяча** thousand	**пятый** fifth
сто hundred	**миллион** million	**шестой** sixth
двести two hundred		**седьмой** seventh
триста three hundred	**первый** first	**восьмой** eighth
четыреста four hundred	**второй** second	**девятый** ninth
пятьсот five hundred	**третий** third	**десятый** tenth
шестьсот six hundred	**четвёртый** fourth	**одиннадцатый** eleventh

До свидания, друзья!

As Sally leaves Moscow, and Petya, behind, we wish her, and you, success in this year's Russian exams! Will Sally and Petya meet again? If you decide to carry on studying Russian, you may end up at **МГУ** yourself one day. Keep a look out for them! Even if you don't see them, you are sure to make some **новые друзья** of your own!

Appendix. Tapescripts. Tables

Unit 1

Exercise 1

Ни́на. Здра́вствуй! Ты — но́венькая, да? Как тебя́ зову́т?

Зо́я. Меня́ зову́т Зо́я. А тебя́?

Ни́на. Меня́ — Ни́на. Ско́лько тебе́ лет?

Зо́я. Двена́дцать. А тебе́?

Ни́на. Мне уже́ трина́дцать лет. Ты отку́да прие́хала?

Зо́я. Из Ленингра́да.

Ни́на. А где ты сейча́с живёшь?

Зо́я. Сейча́с живу́ в Москве́, на Пу́шкинской у́лице.

Exercise 3

Учи́тель. Скажи́, пожа́луйста, Зо́я, как твоя́ фами́лия?

Зо́я. Са́вченко.

Учи́тель. А о́тчество?

Зо́я. Андре́евна.

Учи́тель. Спаси́бо. Где ты родила́сь, Зо́я, и в како́м году́?

Зо́я. Я родила́сь в Ленингра́де, в 1979 году́.

Учи́тель. А день рожде́ния?

Зо́я. 4 ма́рта.

Учи́тель. Так. А кто ты по национа́льности?

Зо́я. Я — украи́нка.

Учи́тель. Спаси́бо, Зо́я.

Exercise 7

1. Меня́ зову́т Бори́с Андре́евич, фами́лия — Ма́слов. Я москви́ч, роди́лся в 1978 году́ здесь, в Москве́. Мой а́дрес — Москва́, у́лица Во́лгина, дом 13, ко́рпус 1, кварти́ра 25. Но́мер телефо́на — 336-83-06. Мой день рожде́ния — 15 января́. По национа́льности я, коне́чно, ру́сский.

2. Здра́вствуйте! Моё и́мя и о́тчество — А́нна Нугза́ровна, фами́лия — Бери́дзе. Я — грузи́нка. Родила́сь я в Тбили́си, в столи́це Гру́зии. А сейча́с я живу́ в Но́вгороде, на Октя́брьской у́лице, дом 7, ко́рпус 2, кварти́ра 13. У меня́ есть телефо́н: 19-68-25. Да́та моего́ рожде́ния — 9 апре́ля 1972 го́да.

3. Приве́т! Я англича́нка. Меня́ зову́т Са́лли, моя́ фами́лия — Рид. Я из го́рода Шéффилда, на се́вере А́нглии, но родила́сь я не в Шéффилде, а в Ло́ндоне. Мой день рожде́ния — 20 ию́ня 1977 го́да. Мой а́дрес — 115 Ло́нгли Лэйн, а но́мер телефо́на — 0742 (э́то код го́рода), пото́м 687139.

Unit 2

Exercise 2

А. Ско́лько челове́к у тебя́ в семье́?

В. Нас пя́теро.

А. У тебя́ есть брат и́ли сестра́?

В. У меня́ два бра́та.

А. Ско́лько им лет?

В. Мла́дшему бра́ту — оди́н год, ста́ршему — шестна́дцать лет.

А. У тебя́ есть ба́бушка и́ли де́душка?

В. Нет.

А. А у вас есть како́е-нибудь дома́шнее живо́тное?

В. Да, есть — ко́шка.

Exercise 6

Молодо́й челове́к, высо́кий, по́лный. Он был в све́тлом сви́тере и в джи́нсах.

Ста́рая же́нщина в тёмной шу́бе и в шля́пе. Она́ была́ в очка́х.

Же́нщина с дли́нными све́тлыми волоса́ми. Она́ была́ в све́тлом плаще́ и в сапога́х.

Unit 3

Exercise 1 & 2

1. Джон:

Я живу́ в це́нтре го́рода, в ма́леньком ста́ром до́ме. Э́то двухэта́жный дом. Наверху́ — две спа́льни, ва́нная и туале́т, а внизу́ — гости́ная и ку́хня. У нас нет са́да.

2. Клер:

Я живу́ в ма́ленькой дере́вне недалеко́ от го́рода, в большо́м, но́вом, одноэта́жном до́ме. Дом стои́т в большо́м саду́. У нас четы́ре спа́льни и две ва́нные. Ря́дом с до́мом — гара́ж.

3. Са́ймон:

Я живу́ недалеко́ от це́нтра го́рода, в ма́ленькой кварти́ре на четвёртом этаже́. У нас три ко́мнаты: ку́хня, спа́льня, гости́ная — и ма́ленький туале́т. Но у нас нет ва́нной.

4. А́нна:

Мы живём далеко́ от го́рода, в краси́вом ста́ром до́ме на берегу́ реки́. Э́то о́чень краси́вый и ти́хий райо́н. Дом наш не о́чень большо́й, но у нас о́коло до́ма большо́й сад.

Exercise 3

1. У нас в до́ме три спа́льни. Э́то двухэта́жный дом, и гара́ж есть ря́дом с до́мом. Э́то далеко́ от це́нтра го́рода.

2. Я живу́ в ста́ром двухэта́жном до́ме. У нас есть сад пе́ред до́мом. Э́то в шу́мном райо́не, далеко́ от це́нтра го́рода.

Exercise 4

1. **Пе́тя.** Ма́ма, не зна́ешь, где мой чита́тельский биле́т?

   Ма́ма. Зна́ю. Он в ку́хне, на холоди́льнике.

2. **Пе́тя.** Спаси́бо. А а́нгло-ру́сский слова́рь не зна́ешь где?

   Ма́ма. Он у тебя́ в спа́льне, как всегда́, под крова́тью.

3. **Пе́тя.** Спаси́бо. А не ви́дела мой жёлтый га́лстук?

   Ма́ма. Да посмотри́ в гости́ной, на буфе́те.

4. **Пе́тя.** Ах да, по́мню. А ста́рые джи́нсы где?

   Ма́ма. Они́ в спа́льне, в шкафу́, наве́рное.

5. **Пе́тя.** Да, коне́чно. А не зна́ешь, где мои́ но́вые чёрные ту́фли?

   Ма́ма. Пе́тя, ско́лько мо́жно?! Я их ви́дела в гости́ной, за кре́слом.

6. **Пе́тя.** Спаси́бо, ма́ма. А ты не ви́дела биле́ты в кино́? Я их купи́л вчера́.

   Ма́ма. Ви́дела. Они́ лежа́т под телефо́ном в пере́дней.

Exercise 5

В понеде́льник я помога́ю ба́бушке де́лать поку́пки.

Во вто́рник я помога́ю мла́дшему бра́ту де́лать дома́шнее зада́ние.

В сре́ду я помога́ю па́пе гото́вить у́жин.

В пя́тницу я помога́ю де́душке мыть посу́ду.

В суббо́ту я помога́ю ма́ме гото́вить за́втрак.

В воскресе́нье я помога́ю ста́ршему бра́ту мыть маши́ну.

Exercise 6

Гид. Внима́ние! Прослу́шайте, пожа́луйста, на́шу за́втрашнюю програ́мму: за́втра мы бу́дем за́втракать полдевя́того в буфе́те...

Тури́ст. Зна́чит, мы бу́дем за́втракать в во́семь три́дцать?

Гид. Соверше́нно пра́вильно, за́втрак в во́семь три́дцать.

Гид. По́сле за́втрака, в два́дцать мину́т деся́того, мы пое́дем на экску́рсию по го́роду.

...

Гид. Да, пое́дем на экску́рсию в де́вять два́дцать.

Обе́д бу́дет без че́тверти час в рестора́не «Валда́й».

...

Гид. То́чно так, обе́д в двена́дцать со́рок пять. Пото́м в че́тверть тре́тьего у нас бу́дет посеще́ние зоопа́рка.

…

Гид. Да-да, посеще́ние зоопа́рка в два пятна́дцать.
У́жинать мы бу́дем здесь, в гости́нице, в полови́не седьмо́го.

…

Гид. Пра́вильно, у́жин в шесть три́дцать.
А по́сле у́жина, без двадцати́ семь, мы пое́дем во Дворе́ц съе́здов на конце́рт наро́дной му́зыки.

…

Гид. Да-да, всё пра́вильно, пое́дем на конце́рт наро́дной му́зыки в шесть со́рок.

Exercise 8

1. Обы́чно я ложу́сь спать в де́сять часо́в, а в суббо́ту я лёг спать без десяти́ оди́ннадцать.
2. Обы́чно я прихожу́ в шко́лу без пяти́ во́семь, а сего́дня я пришёл че́тверть девя́того.
3. Обы́чно я встаю́ в семь часо́в, а в пя́тницу я встал полвосьмо́го.
4. Обы́чно я у́жинаю без че́тверти семь, а вчера́ я поу́жинал в два́дцать мину́т седьмо́го.

Unit 4

Exercise 1

1. **Оде́сса** — большо́й порт и промы́шленный го́род на юго-за́паде Украи́ны. Э́то та́кже куро́ртный го́род.
2. **Доне́цк** — совреме́нный промы́шленный го́род на юго-восто́ке Украи́ны.
3. **Ха́рьков** — большо́й промы́шленный го́род на восто́ке Украи́ны.
4. **Я́лта** — краси́вый куро́рт в Крыму́, на ю́ге Украи́ны.
5. **Льво́в** — краси́вый стари́нный го́род на за́паде Украи́ны.
6. **Ми́ргород** — небольшо́й куро́ртный го́род в це́нтре Украи́ны.
7. **Рома́новка** — большо́е село́ на се́веро-за́паде Украи́ны.
8. **Пути́вль** — райо́нный центр на се́веро-восто́ке Украи́ны.
9. **Ки́ев** — дре́вний го́род на се́вере Украи́ны.

Exercise 2

Мариу́поль — большо́й промы́шленный го́род на юго-восто́ке Украи́ны. В го́роде мно́го больши́х заво́дов, но э́то та́кже культу́рный центр. Здесь есть хоро́шая карти́нная галере́я. Го́род нахо́дится на берегу́ Азо́вского мо́ря.

Влади́мир — дре́вний ру́сский го́род к восто́ку от Москвы́. Там о́чень мно́го краси́вых стари́нных собо́ров, церкве́й и други́х архитекту́рных и истори́ческих па́мятников. За го́родом — лес и река́.

Зеленого́рск — ма́ленький го́род к се́веро-за́паду от Ленингра́да, куро́рт на берегу́ Балти́йского мо́ря. В про́шлом году́ там откры́ли но́вый кинотеа́тр и Дом культу́ры.

Берёзовка — стари́нное село́ на Ура́ле. Сейча́с там большо́й колхо́з. Но в селе́ есть санато́рий и дом о́тдыха. Места́ там о́чень краси́вые, вода́ и во́здух чи́стые и, са́мое гла́вное, недалеко́ го́ры.

Exercise 4

Прогно́з пого́ды:

За́втра на се́вере страны́ со́лнечно, к ве́черу ожида́ются си́льные моро́зы — до ми́нус тридцати́ гра́дусов.

В се́веро-за́падных райо́нах — у́тром тума́н, днём возмо́жны кратковре́менные дожди́.

На юго-за́паде европе́йской ча́сти СССР — о́блачная пого́да, к ве́черу возмо́жен си́льный ве́тер.

В Центра́льном райо́не — в пе́рвой полови́не дня дождь, переходя́щий в мо́крый снег. Днём температу́ра во́здуха о́коло нуля́, но́чью — ми́нус семь гра́дусов.

На восто́ке страны́ — я́сная холо́дная пого́да, к ве́черу усиле́ние о́блачности.

На ю́ге страны́ — тёплая, суха́я пого́да при сла́бой о́блачности.

На за́паде — тума́н, па́смурно, небольши́е кратковре́менные дожди́.

На се́веро-восто́ке страны́ — сла́бый снег, времена́ми со́лнечно. Температу́ра днём — ми́нус де́сять, но́чью — ми́нус восемна́дцать гра́дусов.

На ю́го-восто́ке страны́ ожида́ется дождли́вая, ве́треная пого́да, к ве́черу возмо́жна гроза́.

Unit 5

Exercise 2

1. Иди́ нале́во по Пу́шкинской у́лице и опя́ть нале́во по Страстно́му бульва́ру, а пото́м напра́во по Тверско́й у́лице. Спра́ва ря́дом с метро́...

2. Иди́ напра́во по Пу́шкинской у́лице. Пото́м поверни́ нале́во и иди́ пря́мо по пло́щади Свердло́ва. Напро́тив тебя́ на Петро́вке...

Exercise 4

1. Иди́те пря́мо по пло́щади ми́мо собо́ра Васи́лия Блаже́нного, поверни́те напра́во и иди́те пря́мо ми́мо Кремля́ до моста́. Поверни́те напра́во, перейди́те мост. Э́то зда́ние спра́ва от вас.

2. Иди́те пря́мо ми́мо Истори́ческого музе́я. Зате́м иди́те по подзе́мному перехо́ду до нача́ла Тверско́й у́лицы. Поверни́те нале́во и иди́те пря́мо. Перейди́те снача́ла у́лицу Ге́рцена, пото́м проспе́кт Кали́нина, и вы уви́дите э́то зда́ние пе́ред собо́й.

3. Иди́те пря́мо по пло́щади до подзе́много перехо́да. Иди́те по перехо́ду до Тверско́й у́лицы. Поверни́те нале́во, иди́те пря́мо, зате́м поверни́те по второ́й у́лице напра́во.

4. Дойди́те до Истори́ческого музе́я, иди́те ми́мо музе́я, поверни́те напра́во и иди́те пря́мо до пло́щади Свердло́ва. Поверни́те нале́во, перейди́те у́лицу по подзе́мному перехо́ду. Э́то зда́ние пе́ред ва́ми.

Exercise 7

A

1. Снача́ла иди́те пря́мо по подзе́мному перехо́ду, пото́м поверни́те напра́во. Сно́ва иди́те пря́мо, перейди́те Большу́ю у́лицу и дойди́те до светофо́ра. Зате́м поверни́те нале́во и иди́те пря́мо. Перейди́те Шу́мную у́лицу, пото́м Зелёный проспе́кт. Э́то зда́ние бу́дет пе́ред ва́ми.

2. Иди́те напра́во, перейди́те Большу́ю у́лицу. Э́то ме́сто нахо́дится спра́ва.

3. Иди́те нале́во, перейди́те Широ́кий проспе́кт. Э́то зда́ние пе́ред ва́ми на углу́.

4. Перейди́те Ти́хий бульва́р по подзе́мному перехо́ду. Иди́те напра́во до Большо́й пло́щади, перейди́те Большу́ю у́лицу по подзе́мному перехо́ду и иди́те пря́мо по Большо́й у́лице до Шу́мной пло́щади. Перейди́те Шу́мную у́лицу. Э́то зда́ние бу́дет пе́ред ва́ми.

5. Перейди́те Ти́хий бульва́р по подзе́мному перехо́ду и вы попадёте в ну́жное ме́сто.

B

I. **А.** Как мне пройти́ к больни́це?
В. Иди́те пря́мо по подзе́мному перехо́ду. Поверни́те нале́во и перейди́те Широ́кий проспе́кт. Поверни́те напра́во и иди́те пря́мо до светофо́ра. Перейди́те Шу́мную у́лицу и иди́те пря́мо. Больни́ца сле́ва.

II. **А.** Где нахо́дится гастроно́м?
В. Иди́те пря́мо по подзе́мному перехо́ду и поверни́те напра́во. Дойди́те до Большо́й пло́щади и перейди́те Большу́ю у́лицу по подзе́мному перехо́ду. Поверни́те нале́во, гастроно́м спра́ва напро́тив па́рка.

III. **А.** Как мне попа́сть в универма́г?
В. Иди́те напра́во. Иди́те пря́мо до Большо́й пло́щади. Перейди́те Большу́ю у́лицу и иди́те пря́мо ми́мо стадио́на до светофо́ра. Перейди́те Зелёный проспе́кт и уви́дите на углу́ универма́г.

IV. **А.** Как мне пройти́ в рестора́н?
В. Перейди́те Ти́хий бульва́р по подзе́мному перехо́ду и иди́те напра́во. Иди́те пря́мо до Большо́й пло́щади и перейди́те Большу́ю у́лицу по подзе́мному перехо́ду. Иди́те пря́мо до светофо́ра и перейди́те Зелёный проспе́кт, поверни́те нале́во. Рестора́н бу́дет спра́ва на углу́.

V. **А.** Где здесь кафе́?
В. Перейди́те Ти́хий бульва́р по подзе́мному перехо́ду. Иди́те напра́во до Большо́й пло́щади и поверни́те нале́во. Иди́те пря́мо до Шу́мной пло́щади, перейди́те Шу́мную у́лицу. Кафе́ на углу́ спра́ва ря́дом с полице́йским уча́стком.

VI. A. Где находится почта?

B. Почта рядом со станцией метро.

VII. A. Как мне пройти к аптеке?

B. Перейдите Тихий бульвар по подземному переходу и идите прямо по Широкому проспекту до светофора. Перейдите Шумную улицу по подземному переходу. Аптека находится справа напротив парка.

VIII. A. Где кинотеатр?

B. Перейдите Тихий бульвар по подземному переходу и идите налево. Перейдите Широкий проспект, кинотеатр перед вами на углу.

Unit 6

Exercise 1

A

Турист. Я хочу попасть в Кремль. Как мне доехать до Кремля?

Девушка. Туда можно проехать на автобусе, на троллейбусе или на метро.

Турист. А как быстрее?

Девушка. На метро, конечно, быстрее, чем на автобусе или троллейбусе.

B

Турист. Как мне лучше ехать в парк «Сокольники»?

Девушка. Можно троллейбусом, можно трамваем. Трамваем даже быстрее.

C

Турист. Как мне проехать в гостиницу «Украина»?

Девушка. Вам надо сесть на автобус или поехать на метро. На метро быстрее.

D

Турист. Как мне проехать на проспект Калинина?

Девушка. Вам лучше всего поехать на метро.

E

Турист. Как мне проехать к Останкинской телебашне?

Девушка. Можно ехать туда автобусом, трамваем или троллейбусом.

Турист. А как быстрее?

Девушка. Быстрее автобусом.

Exercise 2

Надо ехать от станции «Пушкинская» до станции «Площадь Ногина». Там сделать пересадку и оттуда ехать прямо до «ВДНХ».

1. Надо ехать от станции «Курская» до станции «Комсомольская», там сделать пересадку и оттуда ехать прямо до станции «Сокольники».

2. Надо ехать от станции «Комсомольская» до станции «Кировская», там сделать пересадку и оттуда ехать прямо до станции «Ленинский проспект».

3. Надо ехать от станции «Электрозаводская» до станции «Курская», там сделать пересадку и оттуда ехать прямо до станции «Парк культуры».

4. Надо ехать от станции «Аэропорт» до станции «Белорусская», сделать пересадку, доехать до станции «Киевская», там опять сделать пересадку и оттуда ехать прямо до станции «Филёвский парк».

Exercise 4

A

1. **A.** От какой платформы отправляется поезд в Кишинёв?
   B. От пятой.

2. **A.** Сколько стоит билет до Киева?
   B. Пятнадцать рублей пятьдесят копеек.

3. **A.** Когда прибывает поезд в Сумы?
   B. В девять часов три минуты.

4. **A.** Когда отправляется поезд в Одессу?
   B. В шестнадцать двадцать восемь.

5. **A.** Когда прибывает поезд в Чернигов?
   B. В двадцать три часа пять минут.

6. **A.** Сколько стоит билет в Брянск?
   B. Девять рублей.

B

1. Поезд номер 95 Москва—Житомир отправляется от двенадцатой платформы в шестнадцать часов тридцать пять минут. На станцию назначения прибывает в десять часов три минуты.

2. Поезд номер 7 Москва—Ужгород отправляется от пятой платформы в двадцать два часа. На станцию назначения прибывает в девять часов двадцать пять минут.

3. Поезд но́мер 191 Москва́ — Хмельни́цкий отправля́ется от тре́тьей платфо́рмы в пятна́дцать часо́в со́рок во́семь мину́т. На ста́нцию назначе́ния прибыва́ет в семна́дцать часо́в три́дцать мину́т.
4. Поезд но́мер 73 Москва́ — Львов отправля́ется от деся́той платфо́рмы в два́дцать оди́н час два́дцать три мину́ты. На ста́нцию назначе́ния прибыва́ет в два́дцать два часа́ со́рок де́вять мину́т.

Exercise 5

1. Вам на́до вы́йти из зда́ния вокза́ла, поверну́ть нале́во за́ угол. У вхо́да в метро́ нахо́дятся … (при́городные ка́ссы).
2. Вам на́до пройти́ ми́мо рестора́на, ми́мо ко́мнаты ма́тери и ребёнка. Это нахо́дится ря́дом со спра́вочным бюро́ (ка́мера хране́ния).
3. В за́ле ожида́ния напро́тив по́чты нахо́дится … (буфе́т).
4. Вам на́до вы́йти из вокза́ла. На пло́щади напро́тив вокза́ла располо́жена … (стоя́нка такси́).
5. Вам на́до пройти́ че́рез зал ожида́ния ми́мо телефо́нов-автома́тов. Это нахо́дится спра́ва в углу́ (кабине́т врача́).
6. Пройди́те че́рез э́тот зал ожида́ния. В сле́дующем за́ле ожида́ния сле́ва от вхо́да нахо́дится … (туале́т).

Exercise 6

1. Я потеря́л кори́чневую ша́пку. Я е́хал из Ми́нска в по́езде но́мер двена́дцать, в четвёртом ваго́не на пя́том ме́сте.
2. Я потеря́ла очки́. Я е́хала из Ленингра́да в по́езде но́мер семь, в восьмо́м ваго́не на шесто́м ме́сте.
3. Я потеря́л бума́жник. Я е́хал из Новосиби́рска в по́езде но́мер три, в деся́том ваго́не на девя́том ме́сте.
4. Я потеря́ла кошелёк. Я е́хала из Воро́нежа в по́езде но́мер во́семь, в седьмо́м ваго́не на девя́том ме́сте.
5. Я потеря́л се́рый чемода́н. Я е́хал из Ку́рска в по́езде но́мер пять, в двена́дцатом ваго́не на семна́дцатом ме́сте.
6. Я потеря́ла жёлтый зо́нтик. Я е́хала из

Тамбо́ва в девятна́дцатом по́езде, в четвёртом ваго́не на шесто́м ме́сте.
7. Я потеря́л кни́гу. Я е́хал из Но́вгорода в по́езде но́мер шестна́дцать, в восьмо́м ваго́не на четы́рнадцатом ме́сте.
8. Я потеря́ла зелёную су́мку. Я е́хала из Ки́рова в по́езде но́мер два, в седьмо́м ваго́не на оди́ннадцатом ме́сте.

Exercise 7

1. Осторо́жно, две́ри закрыва́ются. Сле́дующая ста́нция — «ВДНХ».
2. Сле́дующая остано́вка «Но́вые Черёмушки».
3. Пассажи́ров, сле́дующих ре́йсом SU 543 Москва́ — Ло́ндон, про́сят пройти́ к вы́ходу но́мер семь.
4. Поезд но́мер пять Ленингра́д — Москва́ прибыва́ет к девя́той платфо́рме.

Unit 7

Exercise 3

1. Оди́н килогра́мм бана́нов — два рубля́.
Две па́чки ма́сла — оди́н рубль со́рок копе́ек.
Оди́н паке́т молока́ — три́дцать во́семь копе́ек.
Три́ста гра́ммов сы́ра — девяно́сто копе́ек.
Деся́ток яи́ц — девяно́сто копе́ек.
Зна́чит, с вас пять рубле́й пятьдеся́т во́семь копе́ек.
2. Одна́ па́чка макаро́н — шестьдеся́т копе́ек.
Полкилогра́мма колбасы́ — рубль со́рок пять копе́ек.
Две́сти гра́ммов грибо́в — шестьдеся́т копе́ек.
Три бу́лочки — три́дцать копе́ек.
Одна́ ба́нка сарди́н — се́мьдесят копе́ек.
С вас три рубля́ шестьдеся́т пять копе́ек.
3. Два килогра́мма карто́шки — со́рок копе́ек.
Оди́н килогра́мм лу́ка — пятьдеся́т копе́ек.
Оди́н килогра́мм морко́ви — два́дцать копе́ек.
Семьсо́т гра́ммов помидо́ров — оди́н рубль се́мьдесят пять копе́ек.
Капу́ста — двена́дцать копе́ек.
Два огурца́ — пятьдеся́т копе́ек.

Плати́те три рубля́ со́рок семь копе́ек.

4. Чёрный хлеб — два́дцать копе́ек.
Две па́чки пече́нья — оди́н рубль два́дцать.
Пять па́чек инди́йского ча́я — два рубля́ со́рок копе́ек.
Одна́ ба́ночка кра́сной икры́ — четы́ре рубля́ два́дцать копе́ек.
Па́чка са́хара — пятьдеся́т две копе́йки.
Чёрный пе́рец — во́семьдесят копе́ек.
С вас де́вять рубле́й три́дцать две копе́йки.

Exercise 4

— Что ты купи́ла бра́ту к Но́вому го́ду?
— Купи́ла ему́ кни́гу о ко́смосе.
— Ско́лько она́ сто́ит?
— Три рубля́ пятьдеся́т копе́ек.
— А роди́телям ты что́-нибудь купи́ла?
— Роди́телям купи́ла карти́ну. Вид на Кавка́зские го́ры. Дово́льно дорога́я — два́дцать семь рубле́й, но я ду́маю, что им о́чень понра́вится. Пото́м ба́бушке купи́ла коро́бку конфе́т за четы́ре рубля́.
— А де́душке?
— Де́душке бы́ло о́чень тру́дно вы́брать пода́рок. В конце́ концо́в реши́ла купи́ть ему́ тру́бку. Он не о́чень ча́сто ку́рит тру́бку, но она́ о́чень краси́вая.
— А кому́ э́та су́мка?
— Э́то мла́дшей сестре́. Нра́вится? О́чень мо́дная, пра́вда? Сестра́ бу́дет о́чень ра́да. Ей четы́рнадцать лет. Э́то бу́дет её пе́рвая су́мка.

Exercise 5

1

— Извини́те!
— Слу́шаю вас.
— Я купи́л э́ти часы́ у вас сего́дня у́тром, а они́ уже́ не рабо́тают.
— Покажи́те, пожа́луйста... М-м-м, э́то электро́нные часы́. Наве́рное, батаре́йка уже́ се́ла. Вы мо́жете купи́ть здесь но́вую батаре́йку.
— Но э́то же совсе́м но́вые часы́! Батаре́йка то́же должна́ быть но́вая! Я хочу́ поменя́ть часы́!
— У вас сохрани́лся чек?
— Коне́чно.
— Тогда́, пожа́луйста. Мо́жно поменя́ть. Вот но́вые часы́.

2

— Посмотри́те, пожа́луйста. Я купи́ла э́ти ту́фли вчера́, но вот ви́дите, пра́вая — три́дцать восьмо́й разме́р, а ле́вая — три́дцать седьмо́й!
— А вы их ме́рили в магази́не?
— То́лько ле́вую.
— А како́й разме́р вам подхо́дит?
— Мне ну́жен три́дцать седьмо́й.
— Так, посмотрю́. Подожди́те, пожа́луйста, мину́точку... Вы зна́ете, к сожале́нию, у нас бо́льше нет три́дцать седьмо́го разме́ра э́того цве́та. Есть то́лько одна́ па́ра кра́сных. Вы возьмёте?
— Покажи́те, пожа́луйста... Ну хорошо́, возьму́.

3

— Я у вас купи́ла э́тот магнитофо́н в понеде́льник.
— Да, по́мню. А в чём де́ло?
— Здесь на коро́бке напи́сано, что до́лжен быть и микрофо́н, а микрофо́на нет.
— Вы хорошо́ смотре́ли в коро́бке?
— Коне́чно. Вот смотри́те са́ми!
— М-м-м, да, ка́жется, нет. А вы зна́ете, у нас нет тако́го микрофо́на сейча́с в магази́не. Вы мо́жете зайти́ за́втра?
— Хорошо́, приду́.

4

— Я хочу́ поменя́ть э́ту ша́пку.
— Когда́ вы её купи́ли?
— Два дня наза́д.
— А почему́ хоти́те поменя́ть?
— Понима́ете, она́ сли́шком ма́ленькая.
— Так, посмо́трим... к сожале́нию, у нас нет разме́ров бо́льше э́того.
— А что же мне де́лать?
— Е́сли у вас есть чек, мы смо́жем верну́ть вам де́ньги.
— Э́то хорошо́! Вот чек.

Exercise 8

1. — Так, шашлы́к с ри́сом — рубль пятьдеся́т, пиро́жное — два́дцать пять копе́ек, компо́т — четы́рнадцать копе́ек. С вас оди́н рубль во́семьдесят де́вять.
2. — У вас... сала́т — шестна́дцать копе́ек, суп моло́чный — шестна́дцать копе́ек, ку́-

рица с рисом — рубль девяносто семь, мороженое — тридцать пять копеек, чай с лимоном — шестнадцать копеек. Значит, три рубля две копейки.

Exercise 11

Наташа. Петя, ты любишь борщ?

Петя. Да, очень, а ты?

Наташа. Нет, не очень.

Петя. А тебе нравится икра?

Наташа. Красная нравится, а чёрную совсем не люблю. Слишком солёная.

Петя. Ну что ты! Я очень люблю и красную и чёрную!

Наташа. Да, я вижу: ты любишь настоящие русские блюда.

Петя. Ещё бы. Грибы люблю, сметану. Но котлеты мне не нравятся, и блины тоже. Не знаю почему.

Наташа. Странно! Я наоборот — блины мне очень нравятся, котлеты нравятся, а грибы и сметану не очень люблю. Хотя и могу съесть.

Петя. Ты любишь яблочный сок?

Наташа. Нет, не люблю. А морковный люблю. Очень интересный вкус.

Петя. Морковный сок? Никогда не пил. А яблочный совсем не нравится.

Unit 8

Exercise 1

1

Больная. Здравствуйте.

Врач. Добрый день. Что с вами?

Больная. Я — туристка из Англии. Вчера я была на экскурсии и весь день ходила по Москве. Теперь у меня очень болят ноги.

Врач. Понимаю... Посмотрим... Здесь болит?

Больная. Нет.

Врач. А здесь?

Больная. Немного.

Врач. Ничего серьёзного. Но вам надо отдохнуть — сегодня и завтра лучше побыть в гостинице. Вам пока нельзя много ходить.

2

Врач. Входите, пожалуйста. Слушаю вас.

Больной. У меня болят голова и горло.

Врач. Так, откройте рот, пожалуйста. М-м-м... Когда вы заболели?

Больной. Вчера утром. А сегодня чувствую себя хуже.

Врач. Посмотрим, какая у вас температура. Так, тридцать семь и восемь... Не очень высокая, но, по-моему, у вас грипп. Вам нужно лежать и принимать аспирин три раза в день.

Больной. А когда можно будет идти на работу?

Врач. Завтра, конечно, нельзя. А через три дня посмотрим: если не будет температуры, пойдёте на работу.

3

Врач. Здравствуйте. Как вы себя чувствуете?

Больная. У меня болит левая рука. Я упала вчера вечером на улице. Я думала, что это несерьёзно, а сегодня, когда проснулась, было очень больно вот здесь.

Врач. Так, покажите, пожалуйста. Нужно сделать рентген. Пройдите в соседний кабинет и отдайте им это направление.

Больная. Это надо сделать сегодня?

Врач. Конечно! Прямо сейчас!

Больная. Тогда мне нужно позвонить на работу. Я должна сказать, что сегодня не приду.

Врач. Пожалуйста. Телефон у дежурной.

4

Врач. Садитесь, пожалуйста. Слушаю вас.

Больной. Я чувствую себя очень плохо. Болит левое ухо.

Врач. Когда оно у вас заболело?

Больной. Два дня назад.

Врач. Так... посмотрим... Наверное, это инфекция. Придётся принимать антибиотики. Я выпишу вам рецепт. Принимайте эти таблетки четыре раза в день. Вам нельзя плавать и принимать душ.

Больной. А ванну?

Врач. Ванну можно, но смотрите, чтобы вода не попала в ухо.

Exercise 2

1. Ты слышал? Вчера Саша упал с велосипеда, сломал руку и ударился спиной.

2. — Алёша, что с тобой?
   — Я позавчера упал с лестницы и подвернул ногу.

3. — Где Ва́ня?
   — Он в больни́це. Переходи́л у́лицу и попа́л под авто́бус. Слома́л ру́ку.
4. Посмотри́те на Бо́рю! Тако́й здоро́вый, энерги́чный ма́льчик. А про́шлой зимо́й он ката́лся на лы́жах в гора́х, на Кавка́зе. О́чень неуда́чно упа́л. Слома́л две ноги́ и ру́ку. До́лго лежа́л в больни́це. Ему́ сде́лали две опера́ции. А сейча́с он совсе́м здоро́в!
5. Бе́дный Серёжа! В воскресе́нье он был весь день на берегу́ мо́ря, пла́вал и загора́л. И вот у него́ со́лнечный ожо́г. Ему́ обяза́тельно на́до пойти́ к врачу́.

Unit 9

Exercise 1

1. Меня́ зову́т Серге́й. Я учу́сь в восьмо́м кла́ссе. Я занима́юсь фи́зикой, матема́тикой и биоло́гией, а мой са́мый люби́мый предме́т — исто́рия. Я говорю́ немно́го по-францу́зски. Францу́зский язы́к я изуча́ю уже́ четы́ре го́да.
2. Меня́ зову́т Та́ня. Я учу́сь во второ́м кла́ссе. Я занима́юсь англи́йским языко́м, ру́сским языко́м и матема́тикой. Мой са́мый люби́мый предме́т — физкульту́ра, потому́ что я люблю́ спорт. Изуча́ю англи́йский язы́к то́лько шесть ме́сяцев, но зна́ю уже́ мно́го слов.
3. Меня́ зову́т Вита́лий. Я в деся́том кла́ссе. Я занима́юсь хи́мией, исто́рией и геогра́фией. Мой са́мый люби́мый предме́т — ру́сская литерату́ра, потому́ что я люблю́ чита́ть. Я изуча́ю неме́цкий язы́к и хорошо́ говорю́ по-неме́цки.
4. Меня́ зову́т Лю́ба. Я в шесто́м кла́ссе. Мой са́мый люби́мый предме́т — му́зыка, я игра́ю на фле́йте. Я изуча́ю два го́да англи́йский язы́к. Он мне о́чень нра́вится.

Exercise 2

1. Вам на́до пойти́ напра́во, пото́м ещё раз напра́во и подня́ться на второ́й эта́ж. Это бу́дет второ́й класс спра́ва.
2. Вы должны́ идти́ нале́во, пото́м поверну́ть напра́во. Это бу́дет пря́мо пе́ред ва́ми.

3. Вам на́до подня́ться на тре́тий эта́ж по ле́стнице, пото́м пройти́ по коридо́ру пря́мо. Это бу́дет сле́ва от вас.
4. Вам ну́жно пройти́ по коридо́ру напра́во, подня́ться на второ́й эта́ж и поверну́ть нале́во. Это бу́дет спра́ва от вас.
5. Вам на́до пройти́ по коридо́ру нале́во. Это бу́дет спра́ва от вас.

Exercise 4

1. **Учи́тель**. Здра́вствуй, И́горь, сади́сь. Каку́ю ты ду́маешь вы́брать себе́ профе́ссию?
   И́горь. Я хочу́ стать инжене́ром.
   Учи́тель. Зна́чит, ты бу́дешь поступа́ть в институ́т? Куда́ же ты хо́чешь поступа́ть?
   И́горь. Я хочу́ поступа́ть в университе́т, в МГУ.
   Учи́тель. Тогда́ тебе́ на́до о́чень мно́го занима́ться и хорошо́ сдать шко́льные экза́мены. И пото́м тебе́, коне́чно, на́до хорошо́ сдать вступи́тельные экза́мены. Ты к э́тому гото́в?
2. **Учи́тель**. А́нна, скажи́ мне, пожа́луйста, кем ты хо́чешь быть.
   А́нна. Я хочу́ быть врачо́м. Я хочу́ поступи́ть в медици́нский институ́т.
   Учи́тель. Ты зна́ешь, туда́ о́чень тру́дно поступи́ть. На́до отли́чно сдать экза́мены, осо́бенно по биоло́гии и хи́мии.
   А́нна. Я ду́маю, что сдам. По биоло́гии и хи́мии у меня́ всегда́ бы́ли «пятёрки».
3. **Учи́тель**. А ты, Све́та, кем хо́чешь стать?
   Све́та. Я хочу́ стать официа́нткой. Мне куда́-нибудь на́до поступа́ть?
   Учи́тель. Тебе́ на́до поступи́ть в те́хникум и́ли в учи́лище.
   Све́та. А туда́ на́до сдава́ть вступи́тельные экза́мены?
   Учи́тель. Нет, тебе́ на́до то́лько получи́ть неплохи́е отме́тки на шко́льных экза́менах. Вот и всё.
   Све́та. Спаси́бо, до свида́ния.
4. **Учи́тель**. А, Бори́с, здра́вствуй! Скажи́ мне, кем ты хо́чешь стать?
   Бори́с. Я хочу́ про́сто рабо́тать на фа́брике, рабо́чим. По-мо́ему, мне не на́до осо́бенно хорошо́ учи́ться. Мне ведь доста́точно сдать шко́льные экза́мены на «тро́йки»? Пра́вда?

Учи́тель. Нет, я с тобо́й не согла́сен. Что́бы быть хоро́шим ма́стером, на́до уме́ть учи́ться.

5. **Учи́тель.** А кем ты хо́чешь стать, Серёжа?
Серёжа. Я хочу́ рабо́тать программи́стом. Я то́чно зна́ю, что бу́ду поступа́ть в МГУ и серьёзно занима́ться матема́тикой.
Учи́тель. Но я не сове́тую тебе́ занима́ться то́лько матема́тикой. Хоро́ший специали́ст до́лжен мно́го знать в любо́й о́бласти.

Unit 10

Exercise 3

1. Меня́ зову́т Сью́зен, мне пятна́дцать лет. Мне не нра́вится занима́ться спо́ртом. Я люблю́ ходи́ть в кино́ и смотре́ть телеви́зор. Я собира́ю кассе́ты и пласти́нки популя́рной му́зыки. Моя́ люби́мая гру́ппа — «Бон Джо́ви».

2. Меня́ зову́т Джон, мне пятна́дцать лет. У меня́ есть компью́тер, а ещё я интересу́юсь ша́хматами. Мне нра́вится смотре́ть телеви́зор, чита́ть газе́ты и игра́ть в футбо́л.

3. Меня́ зову́т Ша́рон, мне шестна́дцать лет. Я игра́ю в бадминто́н. Мне нра́вится чита́ть журна́лы и смотре́ть телеви́зор. Я игра́ю на пиани́но, люблю́ класси́ческую му́зыку.

4. Меня́ зову́т Сти́вен, мне шестна́дцать лет. Мне нра́вится игра́ть в сквош, чита́ть рома́ны, ходи́ть в дискоте́ку, танцева́ть.

5. Меня́ зову́т Джейн, мне пятна́дцать лет. Я увлека́юсь спо́ртом, осо́бенно те́ннисом и пинг-по́нгом. А ещё я люблю́ теа́тр и кино́.

6. Меня́ зову́т Пи́тер, мне шестна́дцать лет. Мне нра́вится занима́ться спо́ртом. Я игра́ю в кри́кет и в ре́гби. О́чень люблю́ ходи́ть в кино́, смотре́ть телеви́зор и слу́шать рок-му́зыку. Совсе́м не люблю́ чита́ть газе́ты.

Unit 11

Exercise 1

1. **То́ля.** Та́ня, ты хо́чешь пойти́ на стадио́н за́втра?

Та́ня. А что там?
То́ля. Футбо́льный матч. Игра́ют «Спарта́к» и «Зени́т».
Та́ня. Ну хорошо́, пойдём! Когда́ начина́ется матч?
То́ля. В шесть часо́в ве́чера. Дава́й встре́тимся в пять три́дцать у ка́ссы и ку́пим биле́ты.
Та́ня. Биле́ты дороги́е?
То́ля. Да нет, пятьдеся́т копе́ек. До встре́чи!

2. **Све́та.** Дени́с, дава́й пойдём в суббо́ту в теа́тр.
Дени́с. Пойдём. В како́й?
Све́та. На Тага́нку. Мой оте́ц доста́л биле́ты на спекта́кль «Бори́с Годуно́в».
Дени́с. На Тага́нку, коне́чно, хочу́! Когда́ начина́ется спекта́кль?
Све́та. В девятна́дцать часо́в.
Дени́с. Когда́ и где мы встре́тимся?
Све́та. Дава́й встре́тимся в полови́не седьмо́го у вхо́да в теа́тр.
Дени́с. До встре́чи!

3. **Са́ша.** Ната́ша, куда́ ты хо́чешь пойти́ за́втра?
Ната́ша. Идём в бассе́йн!
Са́ша. А на како́й сеа́нс?
Ната́ша. На сеа́нс, кото́рый начина́ется в шестна́дцать три́дцать.
Са́ша. Хорошо́, встре́тимся с тобо́й у вы́хода из метро́ в шестна́дцать пятна́дцать.
Ната́ша. Ну хорошо́, до встре́чи!

4. **Бори́с.** Ю́ля, я хочу́ пригласи́ть тебя́ на конце́рт в воскресе́нье.
Ю́ля. На како́й конце́рт, Бори́с?
Бори́с. Игра́ет Госуда́рственный симфони́ческий орке́стр СССР.
Ю́ля. А что исполня́ют?
Бори́с. Чайко́вского, «Роме́о и Джулье́тта».
Ю́ля. Как хорошо́! Чайко́вский — мой люби́мый компози́тор. Спаси́бо, с удово́льствием пойду́!
Бори́с. Биле́ты я уже́ купи́л. Конце́рт начина́ется в пятна́дцать три́дцать. Дава́й встре́тимся у па́мятника Чайко́вскому в пятна́дцать часо́в.

5. **Ми́ша.** Ску́чно! Идём в кино́, Воло́дя?
Воло́дя. Ну пойдём. А на что?
Ми́ша. Подожди́, я посмотрю́ в газе́те...

259

В кинотеа́тре «Москва́» идёт коме́дия «Иро́ния судьбы́». Хоро́ший фильм!

Воло́дя. Когда́ нача́ло?

Ми́ша. Че́рез час, в во́семь часо́в.

Воло́дя. Хорошо́, но мне на́до зайти́ домо́й. Мо́жет быть, ты ку́пишь биле́ты и мы встре́тимся у вхо́да че́рез полчаса́?

Ми́ша. Ла́дно. Я пошёл.

Exercise 3

1. **А.** У вас есть биле́ты на матч «Спарта́к» — «Зени́т»?

   В. Есть. Ско́лько вам?

   А. Да́йте шесть, пожа́луйста. Ско́лько они́ стоя́т?

   В. Пять рубле́й.

2. **А.** Да́йте мне три биле́та на сле́дующий сеа́нс на фильм «Соля́рис», пожа́луйста. Оди́н де́тский и два взро́слых.

   В. С вас три рубля́ пятьдеся́т копе́ек.

   А. Спаси́бо.

3. **А.** У вас есть биле́ты на бале́т «Лебеди́ное о́зеро», на суббо́ту?

   В. Биле́тов на бале́т, коне́чно, нет. Но у меня́ есть на воскресе́нье биле́ты на о́перу «Жени́тьба Фи́гаро».

   А. Ну хорошо́, да́йте мне, пожа́луйта, два биле́та.

   В. В парте́р и́ли в бельэта́ж?

   А. В парте́р. Ско́лько стоя́т биле́ты?

   В. Шесть рубле́й.

   А. У вас есть биле́ты на конце́рт гру́ппы «Маши́на вре́мени»?

   В. Да, ещё есть не́сколько. Вам на како́й день?

   А. На суббо́ту и́ли на пя́тницу.

   В. На пя́тницу есть биле́ты. Вы ско́лько хоти́те?

   А. Да́йте мне пять биле́тов, пожа́луйста. Ско́лько э́то сто́ит?

   В. Де́сять рубле́й.

Unit 12

Exercise 1

1. — Билл, где ты обы́чно отдыха́ешь?

   — Мы обы́чно е́здим за грани́цу, а в э́том

году́ мы бу́дем отдыха́ть в гора́х, в Шотла́ндии.

   — С кем ты туда́ е́дешь?

   — С роди́телями и с сестро́й.

2. — Та́ня, ты, как обы́чно, е́дешь ле́том на да́чу?

   — Нет, в э́том году́ мы е́дем на юг, к мо́рю.

   — На самолёте полети́те?

   — Нет, на по́езде пое́дем.

3. — Приве́т, Серёжа! Скажи́, куда́ ты е́дешь на кани́кулы?

   — Обы́чно я отдыха́ю в Ленингра́де, а в э́том году́ мы с друзья́ми пое́дем в пионе́рский ла́герь. Э́то недалеко́ от Москвы́.

Exercise 2

1. — Алёша, где ты отдыха́л в про́шлом году́?

   — В дере́вне, на Украи́не. Недалеко́ от Ки́ева.

2. — Мэ́ри, куда́ вы е́здили ле́том?

   — Я была́ в США с подру́гой.

3. — Жакли́н, ты куда́-нибудь е́здила зимо́й?

   — Да, мы с роди́телями е́здили в СССР. Бы́ло о́чень интере́сно.

Exercise 3

Корреспонде́нт. Ребя́та, расскажи́те, пожа́луйста, где вы лю́бите отдыха́ть?

Джон. Ле́том я люблю́ отдыха́ть на мо́ре. Я люблю́ купа́ться и игра́ть на пля́же. А зимо́й мне бо́льше нра́вится отдыха́ть в гора́х. Я о́чень люблю́ зи́мний спорт, осо́бенно ката́ние на лы́жах.

Са́ра. Ле́том я обы́чно е́зжу за грани́цу, потому́ что мне совсе́м не нра́вится англи́йское ле́то — пого́да всегда́ така́я плоха́я! А весно́й люблю́ отдыха́ть в А́нглии, в дере́вне. Весно́й приро́да в А́нглии о́чень краси́вая. Люблю́ гуля́ть в лесу́ и́ли сиде́ть на берегу́ реки́.

Exercise 5

1. В про́шлом году́ я е́здил в Крым, там купа́лся и загора́л.

2. В э́том году́ мы пое́дем на Кавка́з, бу́дем

ходи́ть в го́ры и жить в ла́гере альпини́стов.

3. Бу́дущей зимо́й я собира́юсь в лы́жный похо́д на Ура́л.

4. Ка́ждое ле́то они́ живу́т на да́че под Ленингра́дом и хо́дят в лес, собира́ют я́годы и грибы́.

5. Два го́да наза́д мы провели́ ле́тние кани́кулы в пала́тке на берегу́ Чёрного мо́ря.

6. В бу́дущем году́ мы с друзья́ми собира́емся плыть на теплохо́де по Во́лге до Волгогра́да.

Unit 13

Exercise 3

1. **Гость**. Извини́те, пожа́луйста, но у меня́ в но́мере не рабо́тает телефо́н.
Дежу́рная. Я позвоню́ администра́тору. Како́й у вас но́мер?
Гость. Я в но́мере пятьдеся́т шесть.

2. **Гость**. Извини́те, пожа́луйста, вы не ска́жете — в гости́нице есть парикма́херская?
Дежу́рная. Есть, на четвёртом этаже́.

3. **Гость**. Извини́те, бюро́ Интури́ста бли́зко отсю́да нахо́дится?
Дежу́рная. Да, недалеко́. Выходи́те из гости́ницы и иди́те напра́во.

4. **Гость**. Прости́те, но у меня́ в но́мере нет мы́ла.
Дежу́рная. Извини́те, пожа́луйста, я сейча́с принесу́.

5. **Гость**. Да́йте, пожа́луйста, ключ от но́мера шестьдеся́т семь.
Дежу́рная. Покажи́те ва́шу ка́рточку, пожа́луйста.
Гость. Вот, пожа́луйста.
Дежу́рная. А вот ваш ключ.

6. **Гость**. Скажи́те, пожа́луйста, где буфе́т?
Дежу́рная. Буфе́т на пе́рвом этаже́. Но сейча́с он закры́т. Открыва́ется че́рез полчаса́.

7. **Гость**. Извини́те, но у меня́ в но́мере не рабо́тает душ.
Дежу́рная. Мину́точку, я посмотрю́. Како́й у вас но́мер?
Гость. Пятьдеся́т четы́ре.

8. **Гость**. Прости́те, ка́жется, лифт не рабо́тает.

Дежу́рная. Да, к сожале́нию, он сего́дня на ремо́нте. Пройди́те, пожа́луйста, к друго́му ли́фту, он по коридо́ру напра́во.

9. **Гость**. Извини́те, у меня́ в но́мере о́чень хо́лодно.
Дежу́рная. А вы не забы́ли закры́ть окно́ на́ ночь?

10. **Гость**. Извини́те, но у меня́ в но́мере нет горя́чей воды́.
Дежу́рная. Не беспоко́йтесь, я вы́зову те́хника.

Exercise 4

1. **Тури́ст**. Я хочу́ пойти́ в го́сти к мои́м моско́вским друзья́м. Когда́ у нас бу́дет свобо́дное вре́мя?
Гид. Свобо́дное вре́мя у вас бу́дет в понеде́льник, сре́ду и пя́тницу.

2. **Тури́ст**. Кака́я у нас экску́рсия в понеде́льник днём?
Гид. У вас экску́рсия «Моско́вское метро́».

3. **Тури́ст**. Кака́я у нас экску́рсия во вто́рник у́тром?
Гид. У вас экску́рсия в Музе́й Ле́нина.

4. **Тури́ст**. А когда́ мы пойдём на ВДНХ?
Гид. Во вто́рник, в четы́рнадцать три́дцать.

5. **Тури́ст**. В како́й теа́тр мы идём во вто́рник?
Гид. Вы идёте в Большо́й теа́тр.

6. **Тури́ст**. А в сре́ду когда́ обе́д?
Гид. В сре́ду обе́д в четы́рнадцать часо́в.

7. **Тури́ст**. В кото́ром часу́ за́втрак в четве́рг?
Гид. В четве́рг за́втрак в во́семь пятна́дцать. Не опа́здывайте!

8. **Тури́ст**. Когда́ в четве́рг начина́ется экску́рсия в Кремль?
Гид. Экску́рсия начина́ется в де́вять со́рок пять.

9. **Тури́ст**. А кака́я экску́рсия в четве́рг днём?
Гид. Вы пойдёте в Новоде́вичий монасты́рь.

10. **Тури́ст**. Когда́ обе́д в пя́тницу?
Гид. Обе́д в двена́дцать три́дцать.

11. **Тури́ст**. Како́й музе́й мы посеща́ем в пя́тницу днём?
Гид. Музе́й Пу́шкина.

12. **Тури́ст**. Экску́рсия по го́роду беспла́тная?
Гид. Да, беспла́тная.

13. **Тури́ст.** Ско́лько сто́ит на́ша экску́рсия в Коло́менское?

Гид. Три́дцать рубле́й.

14. **Тури́ст.** Мо́жно в свобо́дное вре́мя пойти́ на ры́нок?

Гид. Коне́чно. Ры́нок рабо́тает ка́ждый день до девятна́дцати часо́в.

Unit 14

Exercise 3

1. **Мужчи́на.** Ско́лько сто́ит отпра́вить откры́тку в Ве́нгрию?

Де́вушка. Пять копе́ек.

Мужчи́на. Да́йте мне, пожа́луйста, три ма́рки.

Де́вушка. С вас пятна́дцать копе́ек.

2. **Же́нщина.** Я хочу́ отпра́вить э́ту посы́лку в Ленингра́д. Ско́лько э́то сто́ит?

Де́вушка. Э́то зави́сит от ве́са посы́лки. Да́йте мне посы́лку, пожа́луйста. Хм-м... Э́то сто́ит оди́н рубль со́рок копе́ек.

3. **Мужчи́на.** Мне на́до отпра́вить телегра́мму во Фра́нцию.

Де́вушка. Запо́лните вот э́тот бланк.

Мужчи́на. Я уже́ запо́лнил. Ско́лько э́то бу́дет сто́ить?

Де́вушка. Мину́тку... С вас во́семь рубле́й пятьдеся́т копе́ек.

4. **Же́нщина.** Ско́лько сто́ит отпра́вить письмо́ в Япо́нию?

Де́вушка. Пятьдеся́т одна́ копе́йка.

5. **Мужчи́на.** Я хочу́ отпра́вить э́ти откры́тки в США. Ско́лько э́то сто́ит?

Де́вушка. Вам на́до купи́ть ма́рки по три́дцать пять копе́ек.

Мужчи́на. Да́йте, пожа́луйста, шесть ма́рок.

Де́вушка. С вас два рубля́ де́сять копе́ек.

6. **Же́нщина.** Ско́лько бу́дет сто́ить отпра́вить э́ту посы́лку в А́нглию?

Де́вушка. Э́то бу́дет зави́сеть от её ве́са. Да́йте мне посы́лку, пожа́луйста... С вас во́семь рубле́й три́дцать пять копе́ек.

Же́нщина. Спаси́бо. Вот де́ньги.

7. **Мужчи́на.** Мне ну́жно отпра́вить э́ту телегра́мму в Минск. Ско́лько я до́лжен заплати́ть?

Де́вушка. М-м-м... с вас два рубля́.

8. **Же́нщина.** Я хочу́ отпра́вить письмо́ в Ита́лию. Ско́лько с меня́?

Де́вушка. С вас пятьдеся́т одна́ копе́йка.

Exercise 4

Здра́вствуйте, дороги́е друзья́! Мы начина́ем на́шу экску́рсию в це́нтре го́рода, у Моско́вского Кремля́. Кремль был постро́ен в пятна́дцатом ве́ке. В Кремле́ три собо́ра, две це́ркви и не́сколько дворцо́в.

Тепе́рь мы е́дем по Тверско́й у́лице, гла́вной у́лице столи́цы. Здесь мно́го интере́сных зда́ний. Нале́во гости́ница «Интури́ст», за ней ви́дно зда́ние Центра́льного телегра́фа, ещё да́льше — зда́ние Моссове́та.

А сейча́с мы переезжа́ем Москву́-реку́. Её длина́ пятьсо́т два киломе́тра. Сейча́с ле́то, и вы мо́жете поката́ться на теплохо́де по Москве́-реке́.

Перед ва́ми МГУ — Моско́вский госуда́рственный университе́т. Зда́ние университе́та бы́ло постро́ено в 1953 году́. У́чится в МГУ три́дцать две с полови́ной ты́сячи студе́нтов. От университе́та хорошо́ видна́ панора́ма Москвы́.

Тепе́рь мы возвраща́емся в центр го́рода. Сле́ва от нас Центра́льный стадио́н и́мени Ле́нина. Стадио́н был постро́ен в пятидеся́тых года́х. Сто три ты́сячи зри́телей мо́гут одновре́менно смотре́ть на стадио́не футбо́льные ма́тчи.

И наконе́ц, посмотри́те нале́во. Видны́ краси́вые купола́ Новоде́вичьего монастыря́. Э́тот монасты́рь был постро́ен в семна́дцатом ве́ке. Э́то был о́чень изве́стный же́нский монасты́рь.

Unit 1

	Борис	Анна	Салли
И́мя			
О́тчество			
Фами́лия			
Национа́льность			
Да́та рожде́ния			
Ме́сто рожде́ния			
А́дрес			
Но́мер телефо́на			

Unit 3

	John	Clare	Simon	Anne
1. Has no bathroom				
2. Has two bathrooms				
3. Has only one bedroom				
4. Has the most bedrooms				
5. Has no garden				
6. Lives in the quietest area				
7. Lives in the newest house				

	Petya	
	Goes to bed	Gets up
Weekdays		
Saturdays		
Sundays		

	Room	Whereabouts
1. Library ticket		
2. English-Russian dictionary		
3. Yellow tie		
4. Old jeans		
5. New black shoes		
6. Cinema tickets		

Unit 6

Платформа	Пункт назначения	Время отправления	Время прибытия	Цена . билетов
4		21.20	9.00	15.20
2	Одесса		16.25	19.70
6	Брянск	22.38	6.15	
10		20.20	7.30	18.50
	Кишинёв	22.13	22.54	18.00
8	Сумы	20.00		16.30
	Житомир			
	Хмельницкий			
	Ужгород			
	Львов			

Item	Colour	Train No. and where from	Carriage No.	Seat No.

Unit 7

Item	When purchased	Nature of problem	Response offered by shop
1.			
2.			
3.			
4.			

vv = likes very much
v = likes
– = doesn't like much
x = doesn't like
xx = doesn't like at all
● = never tried it

	Natasha	Petya
Meatballs		
Red caviar		
Black caviar		
Beetroot soup		
Sour cream		
Apple juice		
Carrot juice		
Mushrooms		
Pancakes		

Unit 8

	Complaint(s)	Diagnosis/Treatment	Can/Can't
1.			
2.			
3.			
4.			

Name	Which class?	What subjects?	Favourite subject	Why?	Foreign language	How long studied?
Sergei						
Tanya						
Vitaly						
Lyuba						

Name	Future career	Higher education? Where?	What must they do now?
Игорь			
Áнна			
Свéта			
Борúс			
Серёжа			

Unit 10

люби́т/интересу́ется – ∨   не лю́бит/не интересу́ется – ✳

	Бори́с	Ната́ша	И́горь	То́ля	Све́та	А́нна
спорт (како́й?)						
чита́ть (что?)						
теа́тр						
кино́						
телеви́зор						
му́зыка (кака́я?)						
други́е интере́сы						

	Сью́зан	Джон	Ша́рон	Сти́вен	Дже́йн	Пи́тер
спорт (како́й?)						
чита́ть (что?)						
теа́тр						
кино́						
телеви́зор						
му́зыка (какая?)						
други́е интере́сы						

Unit 11

Dialogue	Tolya and Tanya	Sveta and Dennis	Sasha and Natasha	Boris and Yulia	Misha and Volodya
Where are they going?					
What will they see/hear?					
Where will they meet?					
When will they meet?					
When does it start?					
Any other information?					

	Event/venue	How many tickets	Price	When
1.				
2.				
3.				
4.				

Unit 12

Name	Usually	This year
Bill		
Tanya		
Seryozha		

Name	Where?	When?
Alyosha		
Mary		
Jacqueline		

	Which holiday?	Where?	Why?
John			
Sarah			

Учебное издание

Пирс Дэвид
Райт Фиона
Милославская Светлана Кирилловна

НОВЫЕ ДРУЗЬЯ

Пособие по русскому языку
для английских колледжей

Зав. редакцией *О. М. Уваров*
Редактор *Т. В. Соломатина*
Редакторы английского текста *Е. В. Сидорова и А. В. Кровякова*
Художественный редактор *Ю. М. Славнова*
Художник *Б. С. Казаков*
Технический редактор *Л. П. Коновалова*
Корректор *Г. Н. Кузьмина*

NOTES